LE CLUB
DU MARDI
CONTINUE

AGATHA CHRISTIE

LE CLUB
DU MARDI
CONTINUE

(THIRTEEN PROBLEMS)

DEUXIÈME VOLUME

Traduit de l'anglais par

PAULINE VERDUN

PARIS
LIBRAIRIE DES CHAMPS-ÉLYSÉES

PREMIER VOLUME :

MISS MARPLE AU CLUB DU MARDI

DEUXIÈME VOLUME :

LE CLUB DU MARDI CONTINUE

INTRODUCTION

Du fond de son fauteuil où elle se tient très droite tandis que ses mains actives tricotent — une vieille demoiselle pleine de malice écoute ses amis — un colonel et un haut fonctionnaire de Scotland Yard, tous deux à la retraite, un vieux pasteur et un médecin plein d'expérience, une charmante actrice — raconter d'étranges histoires où glisse l'ombre d'un criminel inconnu. Et toujours Miss Marple le découvre parce que, dit-elle avec modestie, elle a beaucoup observé les petites gens de son village et que la nature humaine est partout la même.

CHAPITRE VIII

LA DEMOISELLE DE COMPAGNIE
(THE GOOD COMPANION)

— A vous à présent, docteur Lloyd, dit Miss Helier. N'avez-vous pas une belle histoire à nous conter qui nous donnera la chair de poule?

Elle lui sourit, de ce sourire qui, tous les soirs, ensorcelait les spectateurs qui allaient spécialement au théâtre pour la voir. Jane Helier était quelquefois appelée la plus belle femme d'Angleterre et les autres comédiennes jalouses avaient l'habitude de chuchoter entre elles : « Jane n'est certes pas une *artiste*. Elle n'est pas capable de *jouer*... si vous voyez ce que je veux dire. Mais elle a des yeux!... ».

Et ces « yeux » suppliaient pour l'instant le célibataire grisonnant qui, depuis cinq ans, prodiguait ses soins aux malades du village de St Mary Mead.

Le médecin tira inconsciemment sur son gilet qui avait une fâcheuse tendance à remonter sur son estomac depuis quelque temps, et tourmenta sans pitié sa mémoire, à seule fin de ne pas décevoir la belle créature qui s'adressait à lui d'une manière aussi confiante.

— Je sens, reprit Jane d'un ton rêveur, que j'aimerais me plonger dans le crime jusqu'au cou ce soir.

— Magnifique, magnifique! s'écria le colonel Bantry, son hôte, en éclatant d'un grand rire jovial. Qu'en dites-vous, Dolly?

Sa femme, ainsi rappelée à ses devoirs de maîtresse de maison (elle était en train de penser à ses semis de printemps pour ses plates-bandes) approuva son enthousiasme.

— C'est magnifique, bien sûr, dit-elle sans trop savoir de quoi il retournait.

— Vraiment, ma chère? s'étonna Miss Marple une lueur amusée dans le regard.

— St Mary Mead n'est pas du tout spécialisé dans le genre « chair de poule » et encore moins dans le crime, Miss Helier, dit alors le docteur Lloyd.

— Vous m'étonnez, prononça d'un ton sérieux sir Henry Clithening en se tournant vers Miss Marple. J'avais toujours cru comprendre, d'après notre amie ici présente, que St Mary Mead est un véritable bouillon de culture du crime et du vice!

— Oh, sir Henry! protesta Miss Marple, une flambée de couleur montant à ses joues pâles. Je suis sûre que je n'ai jamais rien dit de semblable. La seule chose que j'aie toujours soutenue, c'est que la nature humaine est la même partout, au village comme dans une capitale, seulement, on a plus d'occasions et de loisirs au village pour l'observer de plus près.

— Mais, *vous*, vous n'avez pas toujours vécu ici, insista Jane Helier, s'adressant de nouveau au médecin. Vous êtes allé dans toutes sortes d'endroits curieux... des endroits où *il arrive* des choses!

— Il est vrai... acquiesça le docteur Lloyd continuant à chercher désespérement. Oui, en vérité... Oui... Ah, voilà qui me revient.

Il s'appuya au dossier de son fauteuil avec un soupir de soulagement.

— Cela s'est passé il y a déjà si longtemps que je l'avais presque oublié. Mais ce fut vraiment étrange, très étrange, oui. Et la coïncidence décisive qui mit le fil conducteur entre mes mains est bien étrange elle aussi.

Miss Helier rapprocha légèrement son fauteuil de celui du praticien, refit ses lèvres et prit un air attentif. Les autres personnes réunies dans le salon tournèrent aussi vers le narrateur des visages intéressés.

— Je ne sais pas si l'un de vous connaît les îles Canaries...

— Elles sont, paraît-il, de toute beauté, s'écria Jane Helier. Mais où se trouvent-elles exactement? Dans les Mers du Sud? Ou la Méditerranée?

— J'y ai fait escale en me rendant en Afrique du Sud, dit le colonel. Au soleil couchant, le Pic de Ténérife est une splendeur.

— L'histoire que je vais vous raconter s'est passée il y a donc plusieurs années, dans l'île de Grande-Canarie et pas à Ténérife. J'avais été malade et j'avais dû renoncer à exercer en Angleterre. Je me fixai à Las Palmas, la capitale de Grande - Canarie, et j'y ouvris un cabinet. L'existence que je menais là-bas me plaisait beaucoup pour diverses raisons, notamment à cause du climat tempéré, du soleil, de la mer, j'adore nager, de l'activité du port. Des bateaux du monde entier s'arrêtent à Las Palmas et j'avais pris l'habitude de descendre sur le môle tous les matins pour les voir accoster, spectacle encore plus captivant pour moi qu'une rue bordée de boutiques de mode pour le beau sexe.

Parfois, ces navires venus d'ailleurs ne

faisaient escale que quelques heures à Las Palmas. Dans le principal hôtel de l'endroit, le Métropole, on pouvait voir des gens de toutes races et de toutes nationalités... des oiseaux de passage. Même les gens qui allaient à Ténérife s'arrêtaient à Grande-Canarie avant de gagner l'autre île.

Mon histoire commence justement au Métropole un jeudi soir du mois de janvier. On dansait dans un des salons et j'étais assis à une petite table avec un ami. Nous regardions la brillante assemblée composée d'Anglais et de gens de diverses nationalités, mais surtout d'Espagnols, et lorsque l'orchestre attaqua un tango, une demi-douzaine de couples, uniquement espagnols, gagnèrent la piste. Ils dansaient tous à la perfection et nous les admirions sans réserve, en particulier une danseuse. Elle était grande, belle, souple et se déplaçait avec une grâce féline, presque inquiétante. Je le dis à mon ami qui acquiesça.

— Des femmes comme celle-là sont créées pour avoir une histoire, dit-il. La vie ne peut pas les oublier.

— La beauté est peut-être un don dangereux, ajoutai-je.

— Il n'y a pas que la beauté, mais plus encore. Regarde-la bien. Il faut qu'il lui arrive quelque chose, à moins qu'elle soit à l'origine de quelque chose. Non, sa vie ne peut être calme. Cette femme provoquera des drames. Il n'y a qu'à la voir pour en être sûr.

Il se tut un instant puis reprit avec un sourire :

— Exactement comme il suffit de regarder ces deux là-bas pour savoir que rien ne leur arrivera jamais. Elles sont faites pour une vie douillette et sans imprévu.

Je suivis son regard. Les deux dames en question venaient juste d'arriver par un bâtiment hollandais qui avait accosté un peu plus tôt dans l'après-midi. Et je compris en les observant à mon tour ce que mon ami avait voulu dire : des Anglaises typiques telles qu'on en rencontre parfois à l'étranger. Agées d'une quarantaine d'années, l'une blonde et légèrement trop potelée, l'autre brune et légèrement — oh! très légèrement aussi — trop maigre. Elles étaient ce que l'on appelle bien conservées, vêtues sans originalité de vêtements en tweed bien coupés et sans une ombre de maquillage. Elles dégageaient cet air d'assurance tranquille, qui est le propre des Anglaises bien nées. Semblables à des milliers de leurs sœurs, décidées à visiter ce que leur conseille le Bædeker, indifférentes à tout le reste, clientes de la bibliothèque anglaise et de l'église anglicane partout où elles séjournent, — et, à peu près certainement, l'une ou l'autre, ou toutes les deux, douées d'un gentil talent de peintre amateur. Et rien d'excitant ou de remarquable ne leur arriverait jamais, même si elles faisaient le tour du monde. Je reportai mon attention sur notre souple Espagnole aux yeux langoureux et à demi-clos et je souris.

— Pauvres créatures, soupira Jane Helier. Mais je trouve que les gens sont inexcusables de ne pas donner le meilleur d'eux-mêmes. Cette femme de Bond Street — Valentine — est réellement étonnante. Audrey Denman va chez elle. Et l'avez-vous vue dans « The Downward Step » (1) ? Au premier acte, en écolière, elle est absolument merveilleuse. Et cependant, Audrey a, au moins, cinquante ans. Je crois même savoir qu'elle est plus près de soixante que de cinquante ans.

— Continuez, demanda Mrs Bantry au docteur Lloyd. J'adore les histoires où passent de souples danseuses espagnoles. Elles me font oublier combien je suis vieille et grosse.

— Je suis désolé, murmura le médecin

(1) La pente fatale.

d'un ton d'excuse, mais voyez-vous, en fait, cette histoire n'est pas celle de l'Espagnole.

— Vraiment ?...

— Non. Comme cela est fréquent en ce genre d'affaire, mon ami et moi nous nous étions trompés. Il n'arriva rien d'extraordinaire par la suite à notre beauté espagnole. Elle épousa un employé d'une compagnie maritime et au moment où je quittai l'île, elle avait déjà cinq enfants et était en train de s'épaissir.

— Exactement comme la fille d'Israël Peters, commenta Miss Marple. Celle qui a fait du théâtre et qui jouait à merveille les rôles travestis dans les pantomimes à cause de ses jambes. On a raconté qu'elle avait mal tourné, mais elle s'est mariée avec un représentant de commerce et est devenue une épouse exemplaire.

— Le parallèle villageois, dit doucement Sir Henry.

— Non, reprit le médecin. Mon histoire concerne les deux Anglaises.

— Quelque chose leur est donc arrivé ? haleta Miss Helier.

— Oui... et dès le lendemain.

— Pas possible ! s'écria Mrs Bantry d'un ton encourageant.

— En quittant le Métropole, j'avais, par pure curiosité, consulté le registre et

découvert leurs noms sans trop de difficultés : Miss Mary Barton et Miss Amy Durrant
de Little Paddocks, Caughton Weir, Bucks.
Je ne me doutais certes pas alors que je
n'allais pas tarder à rencontrer ces demoi-
selles, ni dans quelles tragiques circonstances.

Quelques amis et moi, nous avions orga-
nisé un pique-nique pour le lendemain.
Nous devions traverser l'île en voiture et
déjeuner dans un endroit qui s'appelait,
pour autant que je m'en souvienne — c'est
si loin ! — Las Nieves. C'était une baie
bien abritée où nous pourrions nous livrer
au plaisir du bain. Le programme s'exécuta
point par point, sauf que nous partîmes
plus tard que prévu, de sorte que nous nous
arrêtâmes en cours de route pour pique-
niquer et que nous n'arrivâmes à Las Nieves
que pour nous baigner avant le thé.

En approchant de la plage, nous fûmes
surpris par l'agitation extraordinaire qui
y régnait : toute la population du petit
village semblait s'être rassemblée sur le
rivage et dès que les gens nous aperçurent,
ils se ruèrent sur la voiture et commencèrent
à parler avec volubilité. Notre espagnol
n'était pas très bon et il me fallut plusieurs
minutes pour les comprendre.

Deux Anglaises complètement folles, disaient-ils, avaient voulu se baigner et l'une d'elles, trop téméraire, s'était tout à coup trouvée en difficulté. L'autre était partie à son aide, mais ses forces l'avaient trahie et elles se seraient noyées toutes les deux si un homme ne s'était pas jeté dans un bateau pour leur porter secours... Mais il était arrivé trop tard pour sauver la première qu'il avait ramenée inanimée.

Dès que j'eus compris de quoi il retournait, fendant la foule, je me précipitai vers la noyée. Je ne reconnus pas tout d'abord mes compatriotes. La femme potelée en maillot de bain noir et bonnet de bain vert n'éveilla aucun souvenir dans ma mémoire à l'instant où elle leva un regard anxieux vers moi. Elle était agenouillée à côté du corps de son amie, tentant quelques mouvements maladroits de respiration artificielle. Lorsque je lui dis que j'étais médecin, elle poussa un soupir de soulagement et je lui ordonnai d'aller se sécher et se changer dans une maison du pays. L'une de mes amies l'accompagna pendant que j'essayai en vain de ranimer la noyée.

Je rejoignis les autres dans la cabane de pêcheurs où je reconnus alors dans la survivante, maintenant habillée, l'une des Anglaises arrivées le soir précédent. Elle apprit la triste nouvelle avec un grand calme et il était bien évident que l'horreur de cette tragédie l'avait secouée au point d'annihiler tous ses réflexes.

— Pauvre Amy, pauvre Amy, répétait-elle. Elle avait tellement rêvé de se baigner ici. Elle était si bonne nageuse. Je n'y comprends rien. Qu'en pensez-vous, docteur ?

— Une crampe, peut-être. Dites-moi exactement ce qui s'est passé ?

— Nous avions nagé toutes les deux pendant une vingtaine de minutes et je proposai de rentrer, mais Amy a voulu retourner encore une fois à l'eau. Soudain, je l'ai entendue appeler au secours et je suis partie aussi vite que j'ai pu. Elle surnageait encore lorsque je l'ai rejointe, mais elle s'est accrochée à moi si désespérément que nous avons coulé toutes deux et que, s'il n'y avait pas eu cet homme, je me serais noyée moi aussi.

— C'est souvent ce qui se produit, répondis-je. Il est toujours très difficile de sauver quelqu'un qui se noie.

— Dire que nous avons débarqué hier et que nous nous réjouissions tellement des petites vacances que nous devions passer dans ce beau pays ensoleillé, poursuivit Miss Barton. C'est... c'est vraiment terrible.

Je lui demandai de plus amples renseignements sur la morte en lui expliquant que je ferai tout mon possible pour lui rendre service, mais que les autorités espagnoles réclameraient notamment des précisions d'état-civil. Elle me les donna assez volontiers.

La morte, Miss Anny Durrant, était sa demoiselle de compagnie depuis cinq mois. Elles s'entendaient très bien, mais Miss Durrant lui avait très peu parlé de sa famille. Devenue orpheline très jeune, elle avait été élevée par un oncle. Elle gagnait sa vie depuis l'âge de vingt-et-un ans.

— Et voilà, acheva le docteur. Il se tut, puis répéta d'un ton qui laissait supposer que son histoire était achevée : « Et voilà... ».

— Je ne comprends pas, protesta aussitôt Jane Helier. C'est tout ?... Je veux dire... c'est une chose bien tragique, mais ce n'est pas... enfin, ce n'est pas ce que j'appelle très énigmatique.

— Je suppose qu'il y a une suite, dit Sir Henry.

— Oui, bien entendu... Voyez-vous, au moment de l'accident, il s'était produit une chose curieuse. Bien entendu, j'avais posé quelques questions aux pêcheurs qui avaient assisté à la tragédie et une femme avait fait une remarque bizarre à laquelle je ne prêtai pas attention sur le moment, mais qui me revint à l'esprit par la suite. Elle avait prétendu que Miss Durrant n'était pas en difficulté lorsqu'elle avait appelé. L'autre l'avait rejointe et, d'après cette femme, elle avait délibérément maintenu la tête de son amie sous l'eau. Comme je vous l'ai dit, je ne m'arrêtai pas à ce récit : les choses paraissaient si différentes vues du rivage, et Miss Barton avait simplement dû essayer de faire perdre connaissance à son amie pour qu'elle ne s'accroche pas à elle, afin qu'elles ne se noient pas toutes deux. Mais, d'après l'Espagnole, Miss Barton aurait volontairement noyé sa demoiselle de compagnie.

Ceci ne me revint donc que plus tard... Nous eûmes beaucoup de difficultés, Miss Barton et moi, pour trouver quelques précisions concernant Miss Durrant. Nous fouillâmes ses valises et découvrîmes une adresse à laquelle j'écrivis. Ce n'était qu'une chambre dans laquelle elle avait mis quelques objets personnels. La propriétaire ne la connaissait pas et l'avait vue pour la première fois lorsqu'elle était venue louer. Elle lui avait dit qu'elle aimait bien avoir un coin à elle où elle pouvait aller n'importe quand. Cette chambre renfermait deux vieux meubles, quelques tableaux d'un style très académique et une malle pleine de bric-à-brac; mais rien qui puisse mettre sur une piste. Elle avait encore dit à la propriétaire que son père et sa mère étaient morts aux Indes lorsqu'elle était enfant et qu'elle avait été élevée par un oncle pasteur, sans préciser s'il était le frère de son père ou de sa mère, de sorte que je ne fus pas plus avancé.

Sans être mystérieux, ce n'était pas satisfaisant. Mais il y a beaucoup de femmes seules fières et discrètes. Dans ses bagages à Las Palmas, nous avions trouvé deux vieilles photographies très pâlies dont le passe-partout avait été coupé de sorte que le nom du photographe avait sauté, et aussi un vieux daguerréotype, qui représentait sans doute sa mère ou, plutôt, sa grand-mère.

Lorsqu'elle s'était présentée à Miss Barton elle lui avait montré deux lettres de références. Celle-ci se souvint, après avoir longtemps réfléchi, de l'un des noms, celui d'une dame qui vivait désormais en Australie. Elle lui écrivit, la réponse mit longtemps à lui parvenir, et je puis dire que lorsqu'elle arriva, elle ne fut d'aucun secours : Miss Durrant avait été pour elle une dame de compagnie tout à fait délicieuse et très utile, ce qui n'apportait aucune lumière sur sa vie privée et ses relations.

Il n'y avait donc rien dans tout ceci que de très banal, et je me sentais cependant de plus en plus mal à l'aise en évoquant cette noyade, pour deux raisons surtout : cette morte dont on ignorait tout et l'étrange affirmation de l'Espagnole. Il s'en ajoutait même à la réflexion une troisième : le regard lourd d'anxiété, voire d'angoisse, que Miss Barton avait jeté sur moi lorsqu'elle s'éloignait et que je restai auprès de la noyée, essayant désespérément de la ranimer.

Cette inquiétude ne m'avait pas paru insolite à l'époque, mais tout à fait normale : c'était la détresse d'un cœur aimant, à l'égard d'une amie en danger de mort. Mais, voyez-vous, par la suite, j'interprétai différemment ce jeu de physionomie : il n'y avait aucun attachement profond entre elles, et donc aucun chagrin affreux. Miss Barton sympathisait avec Miss Durrant et était choquée de sa mort... Et rien d'autre.

Mais alors, pourquoi cette poignante anxiété ? Telle était la question qui me revenait sans cesse à l'esprit. Je ne m'étais pas trompé sur le sens de ce regard. Et presque malgré moi, une réponse commençait à prendre forme dans mon esprit. Supposons que l'histoire de l'Espagnole fût vraie, supposons que Mary Barton ait voulu délibérément et froidement noyer Amy Durrant.

Elle y réussit en lui maintenant la tête
sous l'eau, cependant qu'elle prétend être
allée la sauver. Elle est secourue par un
bateau, mais l'autre est quasi morte et
elles sont sur une plage isolée, loin de partout... Or, voilà que je surgis. La seule
personne à laquelle elle ne s'attendait pas.
Un médecin! Et qui plus est, un médecin
anglais! Elle sait très bien que des gens
restés sous l'eau beaucoup plus longtemps
qu'Amy Durrant ont été ranimés grâce à
la respiration artificielle. Mais elle doit
jouer son rôle... s'éloigner, me laisser seul
avec sa victime. Et comme elle se retourne
une poignante anxiété est peinte sur son
visage : Amy Durrant sera-t-elle rappelée
à la vie *et dira-t-elle ce qu'elle sait ?*

— Oh! je frémis, murmura Jane Helier.

— Vue sous cet aspect, toute l'affaire paraît
encore plus sinistre et la personnalité d'Amy
Durrant devient encore plus mystérieuse,
continua le docteur Lloyd. Qui était-elle ?
Qu'était cette insignifiante demoiselle de
compagnie pour être assassinée par sa
patronne ? Quelle histoire se cachait derrière cette baignade tragique ? Amy Durrant
n'était au service de Mary Barton que depuis
quelques mois. Et celle-ci l'avait amenée
avec elle à l'étranger. Or, dès le lendemain
de leur arrivée, la tragédie survenait... Et

dire que c'étaient deux Anglaises raffinées et tout à fait classiques! Toute l'affaire était fantastique, si fantastique que je devais être le jouet de mon imagination.

— Vous n'avez rien fait alors? demanda Miss Helier.

— Ma chère petite demoiselle, que pouvais-je faire? Il n'y avait aucune preuve. La majorité des témoins oculaires donnaient la même version que Miss Barton et mes propres soupçons ne reposaient que sur une expression fugitive que j'avais peut-être cru voir ou mal interprétée. La seule chose que je pouvais et devais faire était de continuer à rechercher des parents ou des familiers de Miss Durrant. Lorsque je revins en Angleterre, j'allai voir la propriétaire de sa chambre et, je vous l'ai déjà dit, sans plus de résultat.

— Mais vous sentiez que quelque chose n'allait pas, dit Miss Marple.

Le docteur Lloyd inclina affirmativement la tête.

— J'en étais presque honteux : de quel droit soupçonnais-je cette Anglaise de parfaite éducation d'un crime abominable froidement conçu? Je fis de mon mieux pour être aussi aimable que possible avec elle durant les jours qu'elle resta dans l'île. Je l'assistai auprès des autorités espagnoles et fis tout ce qu'un Anglais aurait fait à l'étranger pour aider une compatriote; et pourtant, j'étais convaincu qu'elle savait que je la soupçonnais et que j'avais de l'antipathie pour elle.

— Combien de temps resta-t-elle? demanda Miss Marple.

— Une quinzaine, me semble-t-il. Miss Durrant fut enterrée dans l'île et Miss Barton prit un bateau à destination de l'Angleterre une dizaine de jours plus tard. Le choc l'avait trop bouleversée, dit-elle, pour passer l'hiver aux Grandes-Canaries comme elle l'avait projeté.

— Semblait-elle vraiment bouleversée? demanda encore Miss Marple.

Le médecin hésita.

— Eh bien, il y avait tout au moins quelque chose de changé dans son aspect extérieur, répondit-il d'un ton circonspect.

— N'aurait-elle pas, par hasard, légèrement grossi? suggéra Miss Marple.

— Mais ... C'est curieux que vous me demandiez cela. Maintenant que je réfléchis à nouveau à ces événements, je crois que vous avez raison. Elle... oui, elle semblait avoir pris un peu de poids.

— Quelle horreur! gémit Jane Helier en frissonnant. C'est comme... c'est comme si on s'engraissait du sang de sa victime.

— Et cependant, d'autre part, pour être loyal envers elle, je dois souligner que la veille de son départ, elle fit une remarque qui orientait l'affaire dans une tout autre direction. Je supposai que sa conscience s'éveillait lentement, très lentement, à l'horreur de l'acte qu'elle avait commis.

Miss Barton m'avait demandé de passer la voir. Elle me remercia très chaudement de tout ce que j'avais fait pour elle et je répliquai que j'avais simplement agi comme il était naturel de le faire en de pareilles circonstances. Un silence tomba, et puis brusquement, elle me posa une question.

— Pensez-vous, me dit-elle, que les gens ont parfois le droit de se faire justice eux-mêmes ?

Je répliquai qu'il était assez difficile de répondre, mais, qu'en gros, je ne le pensais pas. La loi était la loi et l'on devait la respecter.

— Même lorsqu'elle est impuissante ?

— Je ne comprends pas très bien.

— C'est difficile à expliquer; mais ne croyez-vous pas que quelqu'un peut être amené par les circonstances, et pour une raison tout à fait légitime, à faire quelque chose de mal... quelque chose qui peut être même considéré comme un crime ?

Je répliquai sèchement que bien des

criminels devaient avoir ce genre de raisonnement pour se justifier à leurs propres
yeux, et elle se rejeta en arrière.

— Mais c'est horrible, horrible, murmura-t-elle.

Puis, changeant de ton, elle me demanda
de lui donner une drogue pour dormir, car
elle n'avait pas pu se reposer vraiment
depuis — elle hésita — depuis ce terrible
choc.

— Vous êtes sûre que c'est cela? Il n'y
a rien qui vous tourmente? Rien dans
votre esprit?

— Dans mon esprit? Que pourrais-je
avoir dans mon esprit?

Elle avait répliqué d'une voix emportée
et soupçonneuse.

— L'inquiétude est une cause d'insomnies
quelquefois, répliquai-je, d'un ton léger.

Elle parut réfléchir un moment.

— Voulez-vous dire s'inquiéter à propos
de l'avenir, ou à propos du passé?

— Les deux.

— Il ne servirait à rien de se tourmenter
à propos du passé puisqu'il est impossible
de le ressusciter... Oh! et puis, à quoi cela
sert-il? On ne peut savoir... On ne peut
savoir.

Je lui ordonnai un léger somnifère et lui
dis adieu. En m'éloignant, les mots qu'elle

avait prononcés : « On ne pourrait le ressusciter » me revinrent en mémoire. Quoi ? Ou *qui ?*

Je pense que d'une certaine manière, cette dernière entrevue me prépara à la suite. Je ne m'y attendais pas, bien entendu, mais lorsqu'elle arriva, je ne fus pas surpris. Parce que, voyez-vous, pendant cette conversation, Mary Barton m'était apparue comme une femme scrupuleuse... pas une pécheresse veule, mais une femme ayant des convictions, les respectant et incapable d'y renoncer tant qu'elles resteraient ancrées en elle. J'imaginais qu'au cours de notre dernière conversation, elle avait commencé à douter d'elle. Ses paroles laissaient peut-être deviner que pour la première fois, elle ressentait la morsure de ce terrible tourmenteur de l'âme, le remords.

L'événement se produisit en Cornouailles, sur une petite plage à peu près déserte à cette époque de l'année. Ce dut être au mois de mars, me semble-t-il, que je lus la nouvelle dans les journaux. Une dame était descendue dans un hôtel de l'endroit... une certaine Miss Barton, dont le comportement avait surpris tout le monde. La nuit, elle allait et venait dans sa chambre, parlant à haute voix et empêchant de dormir ses voisins. Un jour, elle était allée voir le pasteur et lui avait dit qu'elle avait une communication de la plus grave importance à lui faire : elle avait commis un crime. Puis, au lieu de poursuivre, elle s'était levée brusquement et avait déclaré qu'elle reviendrait un autre jour. Le pasteur en avait conclu qu'elle était légèrement détraquée et n'avait pas pris sa déclaration au sérieux.

Or, le lendemain, on constata qu'elle n'était pas dans sa chambre. Elle avait laissé une lettre pour le coroner :

« *J'ai essayé de parler au pasteur hier, de tout lui avouer, mais je n'ai pas pu. Elle ne me l'a pas permis. Je n'ai qu'un seul moyen pour expier: une vie pour une vie: et ma vie doit se terminer comme la sienne. Je dois, moi aussi, me noyer. Je croyais que j'avais le droit de faire ce que j'ai fait. Je vois à présent que non. Si je veux obtenir le pardon d'Amy, je dois la rejoindre. Ne rendez personne responsable de ma mort. Mary Barton.* »

On retrouva ses vêtements sur la plage dans une crique écartée, et il parut évident qu'elle s'était déshabillée et qu'elle avait résolument nagé vers le large où le courant était très dangereux et entraînait les gens loin de la côte.

On ne retrouva pas le corps, mais son absence s'étant prolongée, on conclut à la mort au bout de quelques jours. C'était une femme riche. Sa fortune s'élevait à une centaine de milliers de livres. Et comme elle était morte intestat, sa fortune allait à ses plus proches parents, des cousins qui vivaient en Australie. Les journaux firent une discrète allusion à la tragédie des Canaries, mettant la théorie que la mort de Miss Durrant avait dérangé le cerveau de son amie. L'enquête conclut au *suicide commis au cours d'une crise de folie accidentelle.*

Et le rideau tomba ainsi sur la tragédie d'Amy Durrant et de Mary Barton.

Il y eut un long silence et puis Jane Helier poussa un profond soupir.

— Oh, mais vous ne pouvez pas vous arrêter au moment le plus palpitant. Je vous en prie, continuez !

— Mais ce n'est pas un roman feuilleton, Miss Helier, c'est une histoire vécue. Et la vie s'arrête quand il lui plaît.

— Mais ça m'est égal ! Je veux savoir.

— C'est à nous à présent de faire travailler nos cerveaux, Miss Helier, expliqua alors Sir Henry. Pourquoi Mary Barton a-t-elle tué sa demoiselle de compagnie ? Tel est le problème proposé par le docteur Lloyd.

— Ma foi, elle a pu la tuer pour toutes

sortes de raisons. Je veux dire... Après tout, je n'en sais rien... Peut-être par nervosité, peut-être par jalousie, quoique le docteur Lloyd n'ait pas parlé d'hommes. Quoique sur les bateaux... Bref, vous savez ce que tout le monde dit à propos des bateaux et des voyages en mer.

Miss Helier se tut un peu hors d'haleine et chacun pensa que la charmante actrice avait une tête mieux faite que bien pleine.

— J'aurais facilement plusieurs suppositions, mais je me bornerai à vous en soumettre une seule, dit alors Mrs Bantry. Je pense que le père de Mary Barton s'était enrichi en ruinant le père d'Amy Durrant, et Amy avait résolu d'avoir sa revanche. Mais non! Que je suis sotte. Ce n'est pas ça du tout! Comme c'est ennuyeux! Pourquoi alors la riche patronne a-t-elle tué la pauvre demoiselle de compagnie? J'ai trouvé! Miss Barton avait un jeune frère qui était tombé amoureux de Miss Durrant et Miss Barton attendit son heure. Amy perdit son rang social et Mary l'engagea comme demoiselle de compagnie, l'amena aux Canaries et se vengea. Est-ce cela?

— Excellent, s'écria Sir Henry, seulement on ne nous a jamais dit que Miss Barton avait eu une jeune frère.

— C'est une déduction logique. Il faut

qu'il y ait le jeune frère. Autrement, il n'y a pas de motif. Qu'en dites-vous, Arthur ?

— Très ingénieux, Dolly, répliqua son mari. Seulement, ce n'est qu'une supposition.

— Bien sûr, répondit Mrs Bantry. C'est tout ce que nous pouvons faire... deviner. Nous n'avons aucun fil conducteur... A vous, mon cher, qu'est-ce que vous proposez ?

— Je ne sais que dire. Mais je crois qu'il y a quelque chose dans la suggestion de Miss Helier : il y avait peut-être un homme. Écoutez, Dolly, pourquoi pas un pasteur ? Chacune lui avait brodé, disons, une chape et il a mis d'abord celle de Miss Durrant. Tout est venu d'une bêtise comme celle-là. Souvenez-vous que la survivante a été trouver un pasteur avant d'en finir. Ce genre de femme est capable de perdre la tête pour un beau pasteur. On voit ça bien souvent.

— Je vais vous proposer une explication un peu plus subtile, si vous le permettez, quoique ce ne soit qu'une hypothèse, bien entendu, dit alors Sir Henry. A mon avis, Miss Barton avait toujours eu l'esprit un peu dérangé. Il y a plus de gens dans ce cas qu'on ne l'imagine. Sa folie s'aggravant, elle se mit à croire qu'il lui appartenait de faire disparaître un certain nombre de gens de la surface du globe... et, pour commencer, les femmes ayant eu des malheurs. On ne sait rien évidemment du passé de Miss Durrant, mais il n'est pas impossible qu'elle *ait eu* un passé... des « malheurs ». Miss Barton l'a appris et décida de la supprimer. Plus tard, la légitimité de son geste commença à lui paraître moins évidente, elle est troublée et bourrelée de remords. Et sa fin prouve bien qu'elle était tout à fait folle. Miss Marple, êtes-vous d'accord avec moi ?

— Je crains bien que non, répliqua la vieille demoiselle en s'excusant d'un sourire. Je suis plutôt tentée de croire que sa fin a été celle d'une personne très intelligente et pleine de ressources.

Jane Helier poussa un petit cri.

— Oh, j'ai été absolument stupide ! Puis-je encore faire une suggestion ? Bien sûr, ça a dû être cela. Un chantage ! La demoiselle de compagnie avait voulu la faire chanter ! Seulement, je ne vois pas pourquoi Miss Marple dit que ce fut intelligent de sa part de se tuer. Je ne le vois pas du tout.

— Ah ! Voilà ! C'est parce que Miss Marple connaît un cas analogue à St Mary Mead, répliqua Sir Henry.

— Vous vous moquez toujours de moi, Sir Henry, reprocha doucement cette dernière, mais il est vrai que cette affaire me rappelle un peu la vieille Mrs Trout, qui touchait la retraite des vieux pour trois femmes mortes dans des villages différents.

— Voilà un délit qui me semble aussi ingénieux que compliqué. Mais je ne vois pas qu'il jette beaucoup de lumière sur le problème qui nous intéresse.

— Non, évidemment, répliqua Miss Marple. Vous, vous ne pouvez pas comprendre. Mais plusieurs de ces familles étaient pauvres et la pension était d'un grand secours pour les enfants. Je sais qu'il est difficile de comprendre pour quelqu'un qui n'est pas d'ici. Mais ce que je voulais réellement dire, c'était que toute l'affaire tournait autour d'une vieille femme semblable à n'importe quelle autre vieille femme.

— Et? dit Sir Henry perplexe.

— Je m'explique toujours si mal. Ce que je veux dire c'est que lorsque le docteur Lloyd a décrit, au début de son récit, les deux dames, il ignorait laquelle était laquelle, et je suppose que personne ne le savait dans l'hôtel. On l'aurait su évidemment au bout d'un jour ou deux, mais dès le lendemain, l'une d'elles était noyée et la survivante déclarant s'appeler Miss Barton, il ne vint à l'esprit de personne que ce n'était pas vrai.

— Vous croyez... Oh! je vois, dit lentement Sir Henry.

— C'est la seule explication logique et la chère Mrs Bantry l'a d'ailleurs effleurée il y a un instant. Pourquoi la riche patronne *aurait-elle* tué la pauvre demoiselle de compagnie ? Il est beaucoup plus probable que ce fût le contraire... Je veux dire que ce fût exactement ce qui eut lieu.

— Vraiment ? dit Sir Henry. Vous me laissez sans parole.

— Mais naturellement, continua Miss Marple, il fallait qu'elle mette les vêtements de Miss Barton et ils étaient un peu étroits pour elle, d'où le fait qu'elle a paru un peu plus forte au docteur Lloyd. C'est pourquoi je lui ai posé la question. Un homme devait penser qu'elle avait forci et non que les vêtements étaient trop justes pour elle... quoique ce ne soit pas exactement ainsi qu'il faille présenter les choses.

— Mais, si c'est Amy Durrant qui a tué Miss Barton, qu'est-ce que ce crime lui a rapporté ? demanda Mrs Bantry. L'illusion ne pouvait durer bien longtemps.

— Aussi ne s'y est-elle astreinte que durant un mois, rappela Miss Marple, et pendant tout ce temps, je me doute qu'elle a voyagé en se tenant à l'écart de tous les lieux où l'on aurait pu la reconnaître. C'est ce que je voulais dire en remarquant qu'une dame d'un certain âge ressemble à n'importe quelle autre dame du même âge. Je ne pense même pas que l'on ait fait attention à la photographie collée sur le passeport. Vous savez ce que sont les passeports... Et puis, au mois de mars, elle s'est rendue dans cette petite station de Cornouailles où elle s'est comportée tout de suite d'une façon excentrique propre à la faire remarquer, de sorte que lorsque les gens ont trouvé ses vêtements sur la plage et que l'on a pris connaissance de sa lettre, nul n'a pensé à la conclusion logique.

— Qui était? questionna Sir Henry.

— Pas de *cadavre*, répliqua Miss Marple d'un ton ferme. C'est ce qui aurait dû nous frapper tout de suite s'il n'y avait eu toutes sortes de diversions, y compris l'idée de folie et de remords. Pas de *cadavre*. Voilà le fait le plus significatif.

— Voulez-vous dire... voulez-vous dire qu'elle n'a éprouvé aucun remords? demanda Mrs Bantry. Et qu'elle ne s'est pas noyée?

— Certainement pas! s'écria Miss Marple. C'est exactement Mrs Trout à nouveau. Mrs Trout était elle aussi extraordinaire pour brouiller les pistes, mais elle a trouvé à qui parler avec moi. Et j'ai vu clair dans

le jeu de votre Miss Barton et de son soi-
disant remords. Noyée, elle ? Retournée
en Australie, oui, ou je veux bien être
pendue !

— Vous avez deviné juste, Miss Marple,
mais, quant à moi, j'ai découvert la vérité
par hasard et j'ai failli tomber à la renverse
ce jour-là à Melbourne.

— C'est pour cela que vous avez parlé
d'une coïncidence décisive ?

Le docteur Lloyd inclina la tête.

— Oui. Ce fut en quelque sorte la malchance de Miss Barton — ou de Miss Amy
Durrant, comme vous préférerez l'appeler.
Pendant quelque temps, je fus médecin
à bord d'un navire et, en débarquant à
Melbourne, la première personne que je
vis en me promenant en ville fut la dame
que je croyais noyée depuis longtemps sur
une plage de Cornouailles. Elle comprit
que pour s'en tirer, il fallait qu'elle me com-
promette et elle prit le meilleur parti : elle
me mit dans la confidence. Une curieuse
bonne femme, manquant complètement,
je le suppose, de sens moral. Elle était
l'aînée d'une famille de neuf enfants affreu-
sement pauvre. Ils avaient une fois fait
appel à leur riche cousine anglaise qui
les avait repoussés, Miss Barton s'étant
querellée jadis avec leur père. Or, ils

avaient terriblement besoin d'argent, les
trois plus jeunes étant de santé délicate
et devant suivre un traitement médical
très coûteux. Il apparaît qu'Amy Barton
prépara froidement, dès lors, son crime.
Elle partit pour l'Angleterre et paya son
voyage en s'occupant des enfants des passa-
gers. Un peu plus tard, elle se plaçait
sous le nom de Durrant chez Miss Barton,
après avoir loué une chambre et y avoir
mis quelques meubles pour se créer une
personnalité. L'idée de la noyade lui vint
brusquement alors qu'elle attendait la
première occasion favorable pour se débarrasser de sa cousine. Puis elle prépara la
deuxième scène du drame et rentra en
Australie. Ses frères et sœurs et elle-même
héritèrent bientôt de l'argent de Miss
Barton.

— Un crime osé, ma foi, dit Sir Henry.
Et presque *le* crime parfait. Si ç'avait été
Miss Barton qui était morte aux Canaries,
on aurait soupçonné Amy Durrant et sa
parenté avec la défunte aurait pu être découverte; mais le changement d'identité et le
double crime, comme on peut l'appeler,
a écarté tout danger de ce côté. Oui, presque le crime parfait.

— Qu'est-il advenu d'elle? Qu'avez-vous
fait, docteur Lloyd? demanda Mrs Bantry.

— J'étais dans une curieuse situation,
Mrs Bantry. Je n'avais guère de preuves
aux regards de la loi, sa confession ayant
été faite en dehors de tout témoin, et je
décidai de laisser agir la Nature! En effet,
j'avais remarqué qu'en dépit de son apparence robuste, Miss Barton n'avait pas
longtemps à vivre. Je l'accompagnai chez
elle et vis le reste de la famille... une famille
charmante, très attachée à la sœur aînée
et ne se doutant pas qu'elle avait été capable de tuer pour les sauver tous. Pourquoi
apporter le désespoir à ces gens heureux,
alors que je ne pouvais rien prouver avec
certitude?... Miss Barton est morte six
mois après notre rencontre. Je me suis
souvent demandé depuis si elle avait conti-
nué à vivre tranquille et sans remords jusqu'à la fin.

— Certainement pas, affirma Mrs Bantry.

— Je l'espère aussi, dit Miss Marple.
Mrs Trout, elle, a eu des remords.

Miss Helier parut sortir d'une rêverie et
se secoua.

— Eh bien, c'était vraiment très, très
palpitant, mais je n'ai pas très bien compris
qui a noyé l'autre et ce que vient faire cette
Mrs Trout dans cette histoire.

— Elle n'a rien à y voir, ma chère, répondit Miss Marple. Ce n'était qu'une per-

sonne — pas une personne très bien, en vérité — du village.

— Ah, quelqu'un du village. Mais il n'arrive jamais rien dans les villages. Je suis sûre que je n'aurais pas le moindre esprit si je vivais dans un village.

CHAPITRE IX

LE POUCE DE SAINT PIERRE
(THE THUMB MARK OF ST PIERRE)

— Et maintenant, à vous tante Jane, annonça Raymond West.

— Oui, tante Jane, nous attendons quelque chose de vraiment épicé, insista Joyce Lemprière mutine.

— Vous vous moquez de moi, mes enfants, répondit Miss Marple avec calme. Vous pensez que parce que j'ai vécu dans ce coin perdu toute ma vie, il est probable que je n'ai pas eu d'expériences intéressantes?

— Dieu me garde de considérer l'existence villageoise comme paisible après les horribles révélations que vous nous avez faites, tante Jane, s'écria Raymond. Comparé à St Mary Mead, le monde entier semble bien paisible et terne.

— La nature humaine est presque partout la même, vois-tu, mon enfant, mais on a naturellement l'occasion de l'observer de plus près dans un village.

— Vous êtes vraiment exceptionnelle, tante Jane, dit Joyce enthousiaste. J'espère que cela ne vous ennuie pas que je vous appelle tante Jane ? Je ne sais vraiment pas pourquoi je le fais.

— Vraiment, ma chère ?

Une lueur moqueuse brillait dans le regard que Miss Marple posa quelques secondes sur les deux jeunes gens, faisant rosir les joues de Joyce et amenant Raymond à s'éclaircir la gorge avec embarras. Puis elle sourit et reporta à nouveau son attention sur son tricot.

— Il est bien vrai, reprit-elle, que j'ai vécu ce que l'on peut appeler une vie sans histoire, mais aussi que j'ai eu l'occasion de m'instruire en étant appelée à résoudre bien des petits problèmes. Certains d'entre eux ont été tout à fait subtils, mais ils ne vous intéresseraient pas car ils concernaient des choses sans importance dans le genre de celle-ci : qui a coupé les mailles du sac en filet de Mrs Jones ? et pourquoi Mrs Sims n'a-t-elle porté son nouveau manteau de fourrure qu'une seule fois ? Ces petits faits sont vraiment passionnants à étudier pour qui aime à observer la nature humaine, mais la seule expérience dont je me rappelle qui sera susceptible de vous intéresser est l'aventure advenue au mari de ma pauvre nièce Mabel.

Cela s'est passé il y a dix ou quinze ans, et heureusement tout est fini et oublié. Les gens, voyez-vous, ont la mémoire courte... et j'ai toujours pensé que c'était une bénédiction.

Miss Marple se tut et murmura pour elle-même :

— Il faut que je compte ce rang. Ces diminutions sont délicates. Voyons : un, deux, trois, quatre, cinq et ensuite trois mailles à l'envers... C'est bien ça... Bon, maintenant, qu'est-ce que je disais ? Ah ! oui, la pauvre Mabel.

Mabel est ma nièce. Une gentille petite, oui, vraiment, une gentille petite mais un tout petit peu *sotte*. Juste un soupçon de sottise, vous voyez ce que je veux dire. Elle a toujours eu tendance à être mélodramatique, à parler à tort à travers et à dire beaucoup plus qu'elle ne pense toutes les fois qu'elle est bouleversée. A vingt-deux ans, elle a épousé un certain Mr Denman, et j'ai peur que leur ménage n'ait jamais été très heureux. J'avais espéré que leur amitié n'irait pas plus loin, car ce Mr Denman était un homme emporté, à l'hérédité chargée : plusieurs cas de folie dans sa famille, bref, pas du tout le genre d'homme susceptible de supporter les lubies de Mabel. Cependant, les filles étant de nature obstinée

44

comme elles l'ont toujours été, et comme
elles le seront toujours, Mabel l'épousa.

Je ne la vis guère après son mariage. Elle
vint passer quelques jours une fois ou deux
et ils me demandèrent à plusieurs reprises
d'aller chez eux, mais je n'aime pas beaucoup vivre chez les autres et je m'arrangeai
chaque fois pour trouver une bonne excuse.
Ils étaient mariés depuis dix ans lorsque
Mr Denman mourut subitement. Ils n'avaient
pas eu d'enfants et toute sa fortune revenait à Mabel. J'écrivis à ma nièce, bien
entendu, et lui proposai de me rendre
auprès d'elle si elle avait besoin de moi,
mais elle me répondit qu'elle surmontait
son deuil avec courage, ce qui me parut
très naturel étant donné qu'ils avaient vécu
séparés pendant quelque temps. Mais, trois
mois plus tard, je recevais une lettre absolument dramatique me suppliant de venir,
disant que les choses allaient de mal en pis, et
qu'elle ne pouvait le supporter plus longtemps.

Je n'hésitai pas une minute. Je mis Clara
en pension, portai l'argenterie et la chope
du roi Charles à la banque et partis aussitôt.
Je trouvai Mabel dans un grand état de
nervosité. La maison « Myrtle Dene » était
une belle et vaste demeure très confortable.
Il y avait une cuisinière, une femme de

chambre et, une gouvernante qui s'occupait surtout de Mr Denman, le beau-père de Mabel qui n'avait pas comme on dit « toute sa tête ». C'était un vieux monsieur très tranquille qui se conduisait d'une manière parfaite, mais par moments, son comportement était — c'est le moins que je puisse dire — bizarre. Mais il y avait déjà eu des cas de démence dans cette famille, n'est-ce pas ?

Je trouvai Mabel si changée que j'en fus extrêmement alarmée. Elle n'était qu'un paquet de nerfs secoué de tremblements et j'eus les plus grandes difficultés à obtenir qu'elle me raconte ce qui n'allait pas. Je n'y parvins qu'en m'y prenant par la bande, comme cela arrive souvent dans ces sortes de choses. Je lui demandai des nouvelles d'amis dont elle me parlait toujours dans ses lettres, les Gallagher, et elle me répondit — ce qui me surprit — qu'elle les voyait à peine à présent. Une allusion à d'autres amis m'attira la même remarque. Je lui dis alors qu'elle avait absolument tort de se replier sur elle-même pour retourner sans arrêt les mêmes problèmes et de couper tous les ponts avec le monde extérieur et ses amis. Alors, elle s'emporta et lâcha la vérité :

— Ce n'est pas moi, ce sont eux qui me

fuient, se mit-elle à crier. Personne ne m'adresse plus la parole dans le village. Lorsque je descends la Grand-Rue, les gens s'écartent comme s'ils ne m'avaient jamais vue ou ne m'avaient jamais parlé. Je suis comme une espèce de lépreuse. C'est affreux et je n'en peux plus. J'ai l'intention de vendre la maison et de m'en aller. Mais pourquoi, après tout, m'en irais-je ainsi ? Je n'ai rien fait.

J'étais plus troublée que je ne puis l'exprimer. D'ailleurs, c'est très simple : je tricotais alors un cache-nez pour la vieille Mrs Hay et, dans mon émotion, je laissai tomber deux mailles et je ne m'en aperçus que bien longtemps après.

— Ma chère Mabel, dis-je, tu me stupéfies. Explique-moi la raison de tout cela.

Même lorsqu'elle était enfant, il était toujours difficile d'obtenir des réponses précises de Mabel et en cette circonstance, j'eus également beaucoup de mal à ce qu'elle réponde clairement à mes questions. Elle me tint tout d'abord de vagues propos sur la méchanceté des gens désœuvrés qui n'ont rien de mieux à faire que des commérages et sur ceux qui passent leur temps à mettre des idées dans la tête des autres.

— Bon, j'ai compris, finis-je par lui dire. Il circule évidemment des bruits à ton propos. Lesquels? Tu le sais mieux que n'importe qui. Et tu vas m'en parler.

— C'est si méchant, gémit Mabel.

— Bien entendu, c'est méchant, répliquai-je vivement. Va, tu n'as rien à m'apprendre sur la mentalité des gens. Donc, explique-moi, en bon anglais, Mabel, ce qu'ils racontent?

Alors je sus tout.

La mort subite de Geoffrey Denman avait provoqué des rumeurs. En fait, — et en bon anglais, comme je le lui avais dit — les gens accusaient Mabel d'avoir empoisonné son mari.

Comme vous le savez, il n'y a rien de plus odieux que les racontars et rien de plus difficile à combattre. Lorsque les gens parlent dans votre dos, il est impossible de répondre et de nier, alors les rumeurs vont grossissant de proche en proche sans qu'on puisse les arrêter. J'étais pour ma part certaine d'une chose : Mabel était incapable d'empoisonner qui que ce fût. Et je ne voyais pas pourquoi elle aurait la vie gâchée et pourquoi sa maison lui deviendrait insupportable, parce que, selon toute probabilité, elle avait quelque chose de sot et même de stupide.

— Il n'y a pas de fumée sans feu, dis-je. Dis-moi, à présent, ma fille, ce qui a lancé les gens sur cette piste. Il y a eu forcément quelque chose au départ.

Continuant à s'exprimer d'une manière incohérente, Mabel déclara qu'il n'y avait rien... rien du tout, sauf, bien sûr, que la mort de Geoffrey avait été tout à fait imprévue. Il avait semblé très bien la veille au soir pendant le dîner et puis, au cours de la nuit, il s'était senti très malade. On avait appelé le médecin, mais le pauvre était mort quelques minutes après l'arrivée du docteur qui attribua le décès à la consommation de champignons vénéneux.

— Je me doute que ce genre de mort aussi rapide a dû mettre instantanément les langues en action, mais certainement pas sans quelque autre raison. Est-ce que tu t'étais disputée avec Geoffrey ou quelque chose dans ce goût là ?

Elle reconnut qu'ils s'étaient querellés la veille au cours du déjeuner.

— Et les domestiques vous ont entendus ?

— Elles n'étaient pas dans la salle à manger.

— Oui, mais elles n'étaient probablement pas loin derrière la porte.

Je ne connaissais que trop bien le timbre aigu, hystérique de Mabel lorsqu'elle s'énervait et Geoffrey Denman, lui aussi, criait très fort lorsqu'il était en colère.

— Vous vous êtes disputés à quel propos ce jour-là?

— Oh, comme toujours! C'était toujours la même chose. Il suffisait d'un rien, Geoffrey éclatait aussitôt en reproches, disait des choses abominables et je lui lançais à la tête ce que je pensais de lui.

— Vous vous querelliez souvent, alors?

— Ce n'était pas de ma faute...

— Ma chère enfant, peu importe que ce soit de ta faute ou pas. Nous ne discutons pas de cela. Dans un endroit comme celui-ci, les affaires privées sont un peu celles de tout le monde et ton mari et toi, vous vous querelliez sans cesse. Or, vous avez eu une discussion particulièrement violente un certain matin et la nuit suivante, ton mari mourait brusquement d'une mort mystérieuse. Est-ce bien tout, ou y a-t-il encore autre chose?

— Je ne comprends pas ce que vous voulez dire par autre chose? dit Mabel d'un ton maussade.

— Ce que je dis, tout simplement, ma chère petite. Si tu as fait quelque geste stupide, pour l'amour de Dieu, ne me le cache pas. Je désire seulement faire tout ce que je peux pour te rendre service.

— Rien ni personne ne peut m'aider, sauf la mort, répliqua Mabel d'une manière un peu ridicule.

— Fais un peu plus confiance à la Providence, mon enfant, et dis-moi ce que tu me caches encore, car je suis certaine à présent qu'il y a quelque chose d'autre que tu ne m'as pas dit.

Je la connaissais bien et même lorsqu'elle était enfant, je savais quand elle ne me disait pas l'entière vérité. Cela me demanda un certain temps, mais je finis par tout savoir. Elle était allée dans la matinée à la pharmacie acheter de l'arsenic et elle avait signé le registre. Naturellement, le pharmacien avait bavardé.

— Quel est ton docteur?
— Le docteur Rawlinson.

Je le connaissais de vue et pour exprimer toute ma pensée, c'était ce que j'appellerais un vieux gâteux. J'ai trop l'expérience de la vie pour avoir une confiance aveugle dans les médecins. Certains sont des hommes intelligents mais d'autres le sont beaucoup moins et, la plupart du temps, les meilleurs d'entre eux ne savent pas ce que vous avez. Pour ma part, je n'ai jamais affaire ni aux médecins, ni à leurs remèdes.

Tout en pensant de la sorte, je m'habillai et m'en allai sonner chez le docteur Rawlinson. Il était exactement tel que je l'avais imaginé : un gentil vieux monsieur, aimable, confus, la vue si basse que c'en était pitoyable, légèrement sourd et en plus de tout cela, susceptible au dernier degré. Il monta sur ses grands chevaux dès que je parlai de la mort de Geoffrey Denman, se lança dans la description des différentes espèces de champignons comestibles et ainsi de suite. Il avait questionné la cuisinière et elle avait reconnu qu'un ou deux des champignons qu'elle avait fait cuire lui avaient paru « un peu bizarres », mais comme on les lui avait vendus dans une boutique de confiance, elle avait décidé qu'ils étaient bons quand même. Plus elle y réfléchissait depuis l'accident, plus elle pensait évidemment qu'ils n'étaient pas comme d'habitude. C'était tout.

J'appris que Denman ne pouvait déjà plus ni parler, ni avaler à l'arrivée du médecin et qu'il mourut quelques minutes plus tard. Le docteur semblait parfaitement satisfait du certificat qu'il avait délivré, mais je ne pus déterminer quelle part d'obstination et quelle part de véritable certitude il y avait dans son attitude.

Je rentrai directement à la maison et demandai à Mabel de me dire franchement pourquoi elle avait acheté cet arsenic.

— Tu devais bien avoir quelque idée en tête ?

Mabel fondit en larmes :

— Je voulais me suicider. J'étais trop malheureuse et je voulais en finir.

— Est-ce que tu as encore cet arsenic?

— Non, je l'ai jeté.

Je restais là, tournant et retournant les choses dans ma tête.

— Qu'est-il arrivé lorsqu'il s'est senti malade? Il t'a appelée?

— Non. Elle secoua la tête. Il a sonné plusieurs fois et la femme de chambre, a fini par entendre. Elle a réveillé la cuisinière et elles sont descendues. Lorsque Dorothy, la femme de chambre, l'aperçut, il lui fit peur : il délirait. Elle laissa la cuisinière près de lui et courut me chercher. Je me précipitai dans la chambre et compris tout de suite qu'il était très malade. Malheureusement, Brewster, qui s'occupe du vieux Mr Denman, était absente pour la nuit et je ne savais que faire. J'ai envoyé Dorothy chercher le médecin, et je suis restée avec la cuisinière, mais après quelques minutes, je n'ai pas pu supporter de le voir si malade. C'était trop épouvantable. Je me réfugiai dans ma chambre en m'enfermant à double tour.

— Quelle réaction maladroite et égoïste! Il n'y a aucun doute que ta conduite n'a rien fait pour t'aider ensuite, tu peux en être certaine. La cuisinière aura raconté que tu n'es pas restée au chevet de ton mari moribond. Oui, tu as vraiment agi d'une manière bien inconséquente.

J'interrogeai ensuite les servantes. La cuisinière voulut me raconter l'histoire des champignons, mais je l'arrêtai. J'étais fatiguée de ces champignons. Au lieu de cela, je les interrogeai toutes deux avec insistance sur l'état de leur maître cette nuit-là. Elles furent bien d'accord l'une et l'autre pour affirmer avec force son état précaire : il était incapable d'avaler, il parlait d'une voix étranglée et ce qu'il disait ne voulait rien dire : de simples divagations.

— Quel genre de divagations ? demandai-je curieusement. Que disait-il ?

— Quelque chose au sujet d'un poisson, n'est-ce pas ? répondit la cuisinière en se tournant vers la femme de chambre.

Dorothy acquiesça.

— Un tas de poisson. Un non-sens, quoi. J'ai compris tout de suite qu'il n'avait plus sa tête à lui, le pauvre monsieur.

Il semblait qu'il n'y avait rien à tirer de ces indications. En désespoir de cause, j'allai trouver Brewster, maigre femme d'une cinquantaine d'années.

— C'est un malheur que j'aie été absente cette nuit-là. Personne ne semble avoir rien fait pour le soulager jusqu'à l'arrivée du médecin.

— Je suppose qu'il délirait, dis-je en hésitant, mais ce n'est pas un symptôme d'intoxication alimentaire, n'est-ce pas?

— Ça dépend.

Je lui demandai comment se portait le vieux monsieur.

Elle hocha la tête.

— Pas très bien.

— Faible?

— Oh! non, en dehors de sa vue, il est physiquement robuste et il est capable de nous enterrer tous. Mais c'est son esprit qui bat de plus en plus la campagne, et j'avais dit à Mr et Mrs Denman qu'il fallait le mettre dans une maison de santé, mais Mrs Denman ne voulait en entendre parler à aucun prix.

Cela ne m'étonnait pas de la part de Mabel qui était la bonté même.

Voilà donc comment se présentait l'affaire et après y avoir mûrement réfléchi, je décidai qu'il n'y avait qu'une chose à faire en raison des rumeurs qui circulaient : demander une exhumation et l'autorisation d'une autopsie, ce qui ferait taire définitivement les mauvaises langues. Mabel fit naturellement toutes sortes d'embarras sous de fallacieux prétextes, honorables certes, mais purement sentimentaux : il ne fallait pas troubler le mort qui reposait dans la paix du tombeau, et toutes sortes d'arguments analogues, mais je demeurai inébranlable.

Je passe rapidement sur cette partie de l'histoire. L'autopsie eut donc lieu et si elle ne révéla aucune trace d'arsenic — ce qui était excellent — le rapport disait textuellement qu'*il n'y avait aucune preuve apparente de la cause du décès.* Comme vous le voyez, nous n'étions pas tirés d'affaire et pas plus avancés après qu'avant l'autopsie. Au contraire, les gens parlaient de plus belle et insinuaient qu'il existait des poisons extrêmement subtils qui ne laissaient aucune trace et des balivernes de ce genre. J'avais longuement interrogé le pathologiste qui avait procédé à l'examen postmortem et il avait été très affirmatif : les champignons ne pouvaient être incriminés. Une idée tournait depuis un moment dans ma tête et je lui demandai quel genre de poison, à son avis, si tant est qu'il y ait eu empoisonnement, aurait pu entraîner la mort. Il se lança dans une longue explication que, je l'avoue, je ne suivis pas très bien, mais d'où il ressortait ceci : cette mort pourrait être due à un puissant alcaloïde végétal.

Or, voilà quelle était mon idée : Geoffrey Denman ayant un atavisme chargé, n'était-il pas possible qu'il se soit empoisonné lui-même au cours d'une crise? Il avait fait jadis quelques études de médecine et il devait avoir des lumières sur les poisons et leurs effets.

Je ne prétends pas que cette idée était très satisfaisante, mais je ne voyais rien de mieux et je vous avoue que j'y perdais tout à fait mon latin. A présent, je dois vous avouer une de mes habitudes dont vous, les jeunes, vous allez vous moquer : lorsque j'ai un ennui, je dis toujours une petite prière, n'importe où je me trouve, dans la rue, dans une boutique, peu importe. Et j'obtiens toujours une réponse. Elle peut paraître quelquefois insignifiante et sans rapport avec le sujet qui m'occupe, mais pourtant, un lien existe toujours. Quand j'étais petite fille, j'avais cette phrase épinglée au-dessus de mon lit : *Demandez et vous recevrez*, et je ne l'ai jamais oubliée. Donc, le matin en question, je marchais dans la Grand-Rue et j'adressai une prière fervente au Ciel. Je fermai une seconde les yeux et lorsque je les rouvris, devinez quelle fut la première chose que je vis?

Cinq visages attentifs étaient tournés vers Miss Marple, mais il était à peu près certain qu'aucun d'eux n'aurait été capable de répondre correctement à la question que venait de poser la malicieuse vieille demoiselle.

— Je vis, reprit Miss Marple d'un ton solennel, *la vitrine d'un marchand de poisson*, et dans cette vitrine le poisson exposé : du *haddock frais*.

Elle regarda ses amis les uns après les autres d'un air triomphant.

— Seigneur, soupira Raymond West. Du haddock frais en réponse à une prière!

— Oui, Raymond, répliqua Miss Marple d'un ton sévère et il n'est pas nécessaire d'être irrévérencieux à ce sujet. Le doigt de Dieu est partout. La seconde chose que je vis ensuite, ce furent les taches noires... les marques du pouce de saint Pierre. C'est une légende, vous savez, le pouce de saint Pierre. Et cela me ramena à mes préoccupations. J'avais besoin de la foi, la foi même de saint Pierre. Je fis un rapprochement entre les deux choses, la foi... et le poisson (1).

Sir Henry se moucha avec quelque précipitation et Joyce se mordit les lèvres.

— Et ensuite, qu'est-ce que cela me rappela? Tout naturellement ce que la cuisinière et la femme de chambre m'avaient dit : le mourant avait parlé de poisson. Je fus dès lors convaincue, tout à fait convaincue que la solution du problème résidait dans ces mots, et je rentrai à la maison bien

(1) Jeu de mots : faith = foi; fish = poisson (N.D.T.).

décidée à aller au fond des choses et à découvrir la vérité.

Miss Marple fit une pause, puis elle reprit son explication.

— Vous est-il jamais venu à l'esprit que nous sommes énormément guidés par ce que l'on appelle, je crois, le contexte? Il y a, à Dartmoor, un lieu dénommé les « Moutons Gris ». Si vous bavardez avec un paysan de l'endroit et que vous fassiez allusion aux « Moutons Gris », il comprendra sans doute que vous parlez des pierres groupées en cercle dans la lande connue sous ce nom, mais il est possible aussi que vous fassiez allusion au temps (1); de la même manière, si vous pensez aux pierres en question et qu'un étranger saisisse une bribe de la conversation, il peut supposer que vous faites allusion au temps. De même, lorsque nous rapportons une conversation, nous ne répétons presque jamais les mots exacts; nous en employons d'autres qui nous semblent signifier exactement la même chose.

Partant de ce raisonnement, j'interrogeai séparément les deux servantes. Je demandai à la cuisinière si elle était certaine que

(1) Moutons Gris = Grey Wethers. Temps = Weather. La prononciation de « Wether » et de « Weather » étant similaire, la confusion s'explique (N.D.T.).

son maître avait fait allusion à un tas de poisson. Elle resta affirmative.

— Était-ce ses paroles exactes ? Ou bien a-t-il parlé d'une espèce particulière de poisson ?

— C'est-à-dire que oui, c'était une espèce particulière de poisson, mais je ne peux pas me souvenir laquelle. Un tas de... mais de quoi ? Pas ce que l'on a l'habitude de servir à table ici. Serait-ce une perche... ou un brochet ? Non. Ça ne commençait pas par un P. (1)

Dorothy se rappelait elle aussi que son maître avait fait allusion à une certaine espèce de poisson : « Je crois que c'était un poisson exotique... Une pile de... De quoi donc ? Je ne me souviens plus ».

— A-t-il dit : « heap » (2) ou « pile » (3) ? insistai-je.

— Je crois qu'il a dit « pile ». Mais je ne me souviens plus très bien. C'est si difficile, Miss, de se rappeler des mots exacts, surtout lorsqu'ils ne paraissent avoir aucun sens. Mais plus j'y pense, plus je suis tout de même certaine qu'il a employé le mot « pile » et le nom du poisson commençait par un C; mais ce n'était ni « cod » (4), ni « crayfish » (5).

(1) Brochet = Pike (N.D.T.).
(2) Heap = tas.
(3) Pile = tas ou pile.
(4) Morue.
(5) Ecrevisse. (N.D.T.).

Je vous avoue que je suis très fière de moi pour la suite parce que, bien entendu, je n'entends absolument rien aux remèdes, qui sont des choses très dangereuses, poursuivit Miss Marple. Je tiens d'ailleurs de ma grand-mère la recette d'une tisane d'herbe-aux-vers qui vaut toutes vos potions, gouttes ou ampoules. Mais je savais qu'il y avait des livres de médecine dans la maison et que l'un d'eux contenait un index des principales drogues. Mon idée était que Geoffrey avait avalé un poison et je voulais essayer de découvrir lequel.

Je m'attaquai d'abord à la lettre « H » et, dans cette série aux noms commençant par « He ». Aucun nom ne se rapprochait de « heap ». Alors, je suivis du doigt la lettre « P » et presque tout de suite, je tombais sur... Sur quoi ?

Elle regarda tour à tour ses amis, retardant son moment de triomphe.

— Pilocarpine : Vous représentez-vous un homme qui peut à peine parler s'efforçant d'arracher ce mot du fond de sa gorge. Est-ce que ce mot qu'elle n'a jamais entendu ne peut pas ressembler, pour une cuisinière, à « pile of carp » (1) ?

— Par Jupiter ! s'écria Sir Henry.

_____

(1) Tas de carpes.

— Je ne l'aurais jamais découvert, avoua le docteur Pender.

— Très intéressant, vraiment très inté-ressant, convint Mr Petherick.

Je me reportai rapidement à la page indiquée et je lus tout le paragraphe consa-cré à la pilocarpine. J'y appris qu'elle avait une action sur les yeux et diverses autres choses encore, mais rien qui semblait avoir trait à notre affaire. Cependant, à la fin, j'arrivai à une phrase plus importante : *A été employée avec succès comme antidote à l'em-poisonnement par l'atropine.*

La lumière se fit dans mon cerveau d'une manière aussi éblouissante qu'indescriptible. Je n'avais jamais pensé tout à fait que Geo-ffrey Denman avait voulu se suicider. Alors cette nouvelle solution était non seulement possible mais il était indiscutable qu'elle était la bonne parce que toutes les pièces s'emboî-taient d'une manière parfaitement logique.

— Je n'essayerai même pas de deviner, déclara Raymond West, dépité. Dites-nous tout de suite, tante Jane, ce qui vous parais-sait si clair.

— Je n'entends certes rien à la médecine, reprit Miss Marple, mais il y a une chose que je sais tout de même : lorsque j'ai mal aux yeux, le médecin m'ordonne de mettre quel-ques gouttes de sulfate d'atropine dans chaque œil. Je filai d'un trait au premier étage, entrai dans la chambre du vieux Mr Denman et n'y allai pas par quatre chemins.

— Mr Denman, je sais tout, lui dis-je carrément. Pourquoi avez-vous empoisonné votre fils ?

Il me fixa pendant une minute ou deux — et ma foi c'était un beau vieillard — et puis il éclata de rire. Un rire affreux, un rire de dément comme je n'en avais jamais entendu et qui me donne encore froid dans le dos quand j'y pense. Je n'avais entendu ce genre de rire qu'une seule fois auparavant, lorsque la pauvre Mrs Jones perdit le tête.

— Oui, dit-il enfin. J'ai réussi à avoir Geoffrey. J'étais trop intelligent pour lui et il voulait me mettre au rancart hein ? Dans un asile, hein ? Je les avais entendus qui en parlaient. Mabel est une bonne fille... Mabel me défendait, mais je savais qu'elle serait incapable de lui résister jusqu'au bout. A la fin, il l'emporterait. Geoffrey arrivait toujours à ce qu'il voulait. Mais je me suis débarrassé de lui, de mon cher et bon garçon! Ah, ah, ah! Je suis descendu sans bruit pendant la nuit, ce qui était bien facile, Brewster étant sortie. Mon cher fils était endormi, il avait un verre d'eau près de son lit, il s'éveillait toujours au milieu de la nuit pour boire. Je le vidai et versai à la place de l'eau le contenu du flacon de gouttes pour les yeux. Il se réveillerait et avalerait le contenu du verre avant de se rendre compte de ce que c'était. Il n'y en avait qu'une cuillère à bouche, mais c'était bien assez, bien assez! Et tout s'est passé comme je l'avais prévu. Le matin, on vint me prévenir avec ménagement en redoutant que j'en éprouve un choc. Ah! Ah! Ah! Ah! Ah!

Eh bien, me voici donc parvenue à la fin de mon histoire. Naturellement, le pauvre Mr Denman fut enfermé dans un asile. Il n'était vraiment pas tout à fait responsable de son geste. On apprit la vérité et tout le monde fut désolé pour Mabel, chacun ne sut plus que faire pour qu'elle oublie les injustes soupçons qui avaient pesé sur elle. On fit assaut de gentillesse autour d'elle. Mais si Geoffrey n'avait pas compris ce qu'il avait avalé et s'il n'avait pas fait des efforts désespérés pour qu'on lui administre immédiatement l'antidote du poison qu'il avait absorbé, on n'aurait sans doute jamais rien découvert. Je crois que l'atropine provoque des symptômes bien précis : pupilles dilatées notamment, mais comme je vous l'ai dit, le docteur Rawlinson avait la vue assez basse, le pauvre vieil homme. Et dans le livre de médecine dont je vous ai parlé — il était vraiment *très* intéressant ce livre —

on donnait les symptômes de l'empoisonnement par la ptomaïne et par l'atropine,
ils sont assez semblables. Mais je vous
assure que je n'ai plus jamais vu depuis lors
du haddock frais sans penser à la marque
du pouce de saint Pierre!

Un très long silence régna dans le salon.
Enfin, Mr Petherick toussota et croisa et
décroisa ses petites jambes.

— Ma chère amie, ma très chère amie,
vous êtes vraiment extraordinaire.

— J'engagerai Scotland Yard à venir
vous demander conseil, assura Sir Henry.

— Eh bien, dans tous les cas, il y a une
chose que vous ne savez pas, tante Jane,
triompha Raymond West.

— Oh, mais si, mon garçon! C'est arrivé
juste avant le dîner, n'est-ce pas? Lorsque
tu as amené Joyce admirer le coucher du
soleil. Il y a un endroit favori pour cela.
Près de la haie de jasmins. C'est là que le
laitier a demandé à Annie s'il ne pourrait
pas faire publier les bans.

— Voilà qui gâche tout, tante Jane. Ne
déflorez pas le roman. Joyce et moi nous ne
sommes pas comme le laitier et Annie.

— C'est là où tu te trompes, mon enfant.
Tout le monde ressemble à tout le monde.
Mais heureusement peut-être, nul ne s'en
doute.

CHAPITRE X

MOTIF CONTRE OCCASION
(MOTIVE V/ OPPORTUNITY)

Ce soir-là, Mr Petherick s'éclaircit la
voix un peu plus longuement que d'habitude : c'était à lui de prendre la parole.

— J'ai peur, commença-t-il en s'excusant, que le petit problème que je vais vous
soumettre ne vous paraisse assez fade après
les histoires absolument sensationnelles que
nous avons déjà entendues. Pas d'effusion
de sang, mais un mécanisme assez ingénieux
à mon humble avis, que j'ai eu, en outre,
la bonne fortune de pouvoir démonter.

— Cher Mr Petherick, n'est-ce pas un
cas trop juridique ? questionna Joyce Lemprière un peu inquiète. Je veux dire, ne
s'agit-il pas de points de droit ou d'une
action de Barnaby contre Skinner en 1881
ou de choses de ce genre ?

Mr Petherick lui adressa un léger salut et
lui jeta un coup d'œil par-dessus ses lunettes.

— Non, non, ma chère demoiselle. N'ayez

aucune crainte. Ce que je vais vous exposer est très simple, ne dissimule aucun piège et peut être compris par le profane le moins averti des questions juridiques.

— Attention à vous! dit d'une manière plaisante Miss Marple en agitant vers lui son aiguille à tricoter. Pas d'arguties légales!

— Certainement pas, promit Mr Petherick.

— Très bien, mais je ne vous crois pas sur parole. Cependant, écoutons votre histoire.

— Elle concerne un de mes clients que j'appellerai Mr Clode, Simon Clode. C'était un homme extrêmement riche qui habitait une grande demeure non loin d'ici. Il avait eu un fils tué à la guerre et ce fils avait laissé un enfant : une petite fille. La mère était morte à la naissance du bébé et, après le décès de son père, la fillette était venue vivre chez son grand-père qui s'était passionnément attaché à elle. La petite Chris faisait tout ce qu'elle voulait de lui. Je n'ai jamais vu un homme plus complètement ensorcelé par un enfant et je suis incapable de vous décrire le chagrin qu'il éprouva lorsqu'à l'âge de onze ans, la petite contracta une pneumonie et mourut.

Le pauvre Simon Clode était inconsolable.

Il avait perdu un frère quelque temps auparavant dans de tristes circonstances et avait
généreusement ouvert sa maison aux enfants
du défunt, deux filles, Grace et Mary, et un
garçon George. Mais quoiqu'il fût très bon
et très généreux pour son neveu et ses nièces, le vieil homme ne reporta jamais sur
eux l'affection qu'il avait eue pour sa petite-
fille. George trouva une situation dans une
banque non loin d'ici et Grace épousa un
jeune chimiste de valeur, spécialisé dans la
recherche, appelé Philip Garrod. Mary, qui
était une jeune fille tranquille et discrète,
dirigeait la maison de son oncle. Je pense
qu'à sa manière peu démonstrative, elle
tenait beaucoup à lui. Et, selon toutes les
apparences, tout allait le mieux du monde.
Après la mort de la petite Christobel, Simon
Clode vint me trouver et me donna des
instructions pour refaire son testament. Il
partagea sa fortune, qui était considérable,
en trois parts égales entre son neveu et ses
deux nièces.

Le temps passa. Un jour, je rencontrai
par hasard George Clode et je lui demandai
des nouvelles de son oncle que je n'avais
pas vu depuis un certain temps. A ma
grande surprise, le visage de mon interlocuteur se rembrunit : « Je voudrais que
vous puissiez rendre un peu de bon sens à

l'oncle Simon », me répondit-il avec tris-
tesse. Son honnête figure paraissait toute
chavirée. « Le spiritisme lui fait de plus en
plus perdre la tête ».

— Comment cela ? m'écriai-je très étonné.

Alors il me raconta toute l'histoire :
Simon Clode avait fait la connaissance d'une
Américaine, Mrs Euridyce Spragg, alors
qu'il commençait à s'intéresser à l'occul-
tisme. Cette femme était un médium et elle
avait pris un immense ascendant sur son
esprit. Elle vivait presque continuellement
chez lui, organisait des séances où elle évo-
quait l'esprit de la petite Christobel. Le
pauvre malheureux grand-père ne vivait
plus que pour ces minutes-là, mais George
n'hésitait pas à qualifier l'Américaine d'es-
croc.

Je souligne, entre parenthèses, que je ne
fais pas partie des gens qui nient systéma-
tiquement le spiritisme. Je crois à ce que je
vois et il y a des témoignages de l'au-delà
que l'on ne peut repousser sans faire preuve
de mauvaise foi. A côté de cela, le commerce
des esprits donne lieu à beaucoup de fraudes
et il ne faut s'en approcher qu'avec une
extrême circonspection.

C'est ce que ne semblait pas avoir fait le
pauvre Simon Clode. En écoutant George,
j'avais de plus en plus l'impression que mon

vieil ami était tombé dans des mains de la pire espèce. Mrs Spragg devait être une fieffée coquine. Le vieillard, jusque là, si avisé et circonspect dans le domaine pratique devait perdre tout sens critique dès qu'il s'agissait de la petite morte. Il était dès lors une dupe idéale pour une rouée.

Dans les jours qui suivirent, je tournai et retournai dans ma tête ce que m'avait dit George et ma contrariété alla croissant. J'aimais bien en effet les jeunes Clode, surtout Mary et George restés dans le pays, et je comprenais que l'influence de cette Mrs Spragg pourrait grandement desservir leurs intérêts futurs.

Saisissant le premier prétexte venu, j'allai sans plus tarder rendre visite à Simon Clode. Je trouvai cette Mrs Spragg installée chez lui comme une invitée de marque, doublée d'une vieille et chère amie. Mes pires appréhensions furent dès lors non seulement justifiées, mais dépassées. C'était une forte femme d'âge moyen, mielleuse et hypocrite, habillée d'une manière voyante. Les « chers disparus » et les « pauvres défunts » revenaient dans chacune de ses phrases avec une régularité de métronome trop bien huilé.

Son mari, Mr Abraham Spragg, homme maigre et efflanqué, au visage mélancolique et aux yeux extrêmement furtifs, était là lui aussi. Dès que je le pus, je m'isolai avec Simon Clode et l'interrogeai avec tact. Il me répondit d'une voix enthousiaste : Eurydice Spragg était merveilleuse! Elle lui avait été envoyée à la suite de ses ferventes prières. Elle se moquait de l'argent, la joie d'aider un cœur affligé était pour elle une suffisante récompense, et elle avait un sentiment presque maternel pour la petite Chris. Puis il entra dans les détails : il avait entendu la voix de Chris, l'enfant était très bien et heureuse auprès de son père et de sa mère. Mais la suite me plut moins encore, car elle ne correspondait pas du tout au souvenir que j'avais gardé de la petite Christobel : la petite morte insistait sur le fait que « Père et Mère aimaient la chère Mrs Spragg ».

— Mais, bien entendu, vous vous moquez de moi, Petherick, remarqua tout à coup mon pauvre malheureux ami.

— Pas du tout, pas du tout. Je ne me moque pas de vous et j'accepte sans hésiter le témoignage de la plupart des hommes sérieux qui ont écrit sur ce sujet encore si mal connu. Je suis prêt, voyez- vous, à accorder toute ma confiance au médium recommandé par eux. Je suppose que c'est le cas pour cette Mrs Spragg et qu'elle présente toutes les garanties souhaitables ?

Simon entama alors le panégyrique d'Eurydice Spragg. C'était le ciel qui la lui avait envoyée. Il était entré en contact avec elle dans la ville d'eaux où il avait passé deux mois au cours de l'été, et cette rencontre avait donné des résultats extraordinaires.

Je le quittai très mécontent. Mes pires craintes s'étaient justifiées, mais je ne voyais pas très bien ce que je pouvais faire. Après avoir longtemps réfléchi, je me décidai à écrire à Philip Garrod, le mari de Grace, l'aînée des petites Clode. Je lui exposai la situation, avec le plus de tact possible naturellement, et en pesant mes mots avec soin. Je soulignai le danger représenté par une telle femme si elle prenait de l'ascendant sur l'esprit de Mr Clode et je suggérai que mon vieil ami soit orienté vers des cercles spirites en quelque sorte officiels dont la réputation était sans tache. Je pensais que Philip Garrod pourrait arranger facilement cela.

De fait, il réagit aussitôt avec vigueur. Il se rendit compte, ce que je n'avais pas vu, que Simon Clode était dans un état de santé très précaire et, en homme pratique, il n'entendit pas laisser dépouiller sa femme

et ses beau-frère et belle-sœur d'un héritage
auquel ils avaient légitimement droit. Il
arriva chez son oncle la semaine suivante,
amenant avec lui un invité qui n'était rien
d'autre que le célèbre professeur Longman.
Longman est un très grand savant dont la
collusion avec le spiritisme ne peut inspirer
que le plus grand respect. Outre ses connais-
sances et sa compétence dans ce domaine,
c'est un homme droit et intègre.

Le résultat de cette visite fut loin d'être
celui que nous en attendions. Longman
n'avait pas dit grand-chose au cours de son
séjour. Deux séances de spiritisme avaient
eu lieu en sa présence dans des conditions
que j'ignore, et le professeur ne fit aucun
commentaire, mais dès qu'il fut parti, il
écrivit une lettre à Philip Garrod : il y
admettait qu'il n'avait pu prendre
Mrs Spragg sur le fait et qu'il ne pouvait
l'accuser formellement de fraude, mais à son
avis, les phénomènes observés n'étaient pas
authentiques. Mr Garrod était libre de montrer
cette lettre à son oncle s'il le jugeait oppor-
tun, ajoutait-il, et il proposait de mettre
Mr Clode en rapport avec un médium d'une
intégrité absolue.

Philip Garrod porta aussitôt la lettre de
Longman à Simon qui entra, contrairement
à toute attente, dans une terrible colère :

on avait ourdi un complot pour discréditer Mrs Spragg qui était une sainte. Elle l'avait déjà prévenu de l'âpre jalousie dont elle était environnée dans le pays. Il souligna que Longman était obligé de convenir qu'il n'avait pu découvrir de fraude. Eurydice Spragg était venue vers lui à l'heure la plus sombre de son existence, elle l'avait consolé et il était prêt à prendre fait et cause pour elle, même s'il devait pour cela se fâcher avec toute sa famille. Elle comptait pour lui beaucoup plus que n'importe qui d'autre au monde.

Et, pour finir, Simon pria Philip Garrod de ne plus mettre les pieds chez lui. Mais à la suite de cette colère, la santé du vieil homme s'altéra rapidement. Il avait gardé le lit presque tout le mois précédent et désormais, il parut condamné à l'invalidité complète jusqu'à la fin de ses jours. Deux jours après le départ de Philip, je reçus un appel urgent et je m'empressai d'accourir au chevet du malade qui me donna tout de suite l'impression d'être au plus mal. Il suffoquait littéralement.

— C'est la fin, haleta-t-il. Je le sens. Ne me dites pas le contraire, Petherick. Mais avant de mourir, je veux accomplir mon devoir à l'égard de la seule créature qui a plus fait pour moi que n'importe qui d'autre au monde. Je veux refaire mon testament.

— Très facile, mon cher. Donnez-moi vos instructions. Je rédigerai le texte et vous l'enverrai.

— Non, non. Je peux passer cette nuit. J'ai mis par écrit mes dernières volontés et vous allez me dire immédiatement si ça va bien.

Il tâtonna sous son oreiller et en retira une feuille de papier froissée sur laquelle il avait griffonné quelques lignes au crayon. C'était on ne peut plus simple et clair : il laissait cinq mille livres à chacune de ses nièces et à son neveu et tout le reste de sa fortune, qui était considérable, comme je vous l'ai indiqué, à Eurydice Spragg en témoignage de « gratitude et d'admiration ».

Que faire ? On ne pouvait invoquer la sénilité : Simon Clode était aussi sain d'esprit que n'importe qui. Alors ? La partie était perdue, injustement perdue par la faute d'une odieuse intrigante. Clode sonna et deux domestiques arrivèrent aussitôt : la gouvernante, Emma Gaunt, une grande femme énergique qui était à son service depuis des années et qui le soignait avec le plus grand dévouement, et la cuisinière, une accorte fille d'une trentaine d'années.

— Je désire que vous me serviez de témoins pour mon testament, dit-il dans un souffle. Emma, faites-moi passer mon stylo.

Sans un mot, Emma s'approcha du bureau.

— Non, pas dans le tiroir de gauche, s'irrita le malade. Vous savez bien que je le mets toujours à droite.

— Non, il est là, Monsieur, répliqua Emma en le sortant et en le lui montrant.

— Alors, c'est vous qui ne l'avez pas remis à sa place la dernière fois, grommela le vieil homme. Je ne peux pas supporter que l'on dérange mes affaires.

Grommelant toujours, il recopia son texte que j'avais à peine eu besoin de corriger, sur une feuille de bloc de correspondance. Puis il signa et après lui, Emma Gaunt et la cuisinière, May David. J'arrachai la feuille, la pliai et la glissai dans une grande enveloppe bleue. Il était indispensable, vous l'avez compris, que le testament soit écrit sur une feuille de papier courant.

Au moment où les deux femmes se retournaient pour quitter la pièce, Clode se laissa aller sur ses oreillers, gémissant et le visage livide. Je me penchai anxieusement sur lui et Emma Gaunt revint rapidement en arrière. Cependant, le vieillard reprit ses esprits et nous sourit faiblement :

— Ça va bien, Petherick, ne soyez pas

inquiet. De toute manière, je mourrai tranquille à présent que j'ai fait ce que je devais.

Emma Gaunt me regarda d'un air interrogateur, comme si elle ne savait pas si elle devait s'en aller, mais je la rassurai d'un signe de tête et elle sortit après s'être baissée pour ramasser l'enveloppe bleue que j'avais laissé tomber au moment où j'avais redouté que Simon Clode ne passe sur l'heure. Elle me la tendit et je la glissai dans la poche droite de mon pardessus.

— Vous êtes ennuyé, Petherick, murmura Simon Clode. Vous avez de la prévention comme tous les autres contre cette femme.

Je haussai légèrement les épaules.

— Ce n'est pas une question de préjugé, répliquai-je, et Mrs Spragg est peut-être tout ce qu'elle prétend être. Je n'aurais vu aucune objection à ce que vous lui laissiez un petit legs en témoignage de gratitude, mais je vous le dis franchement, Clode, je trouve très mal que vous déshéritiez votre famille au profit d'une étrangère.

Sans un mot de plus, je quittai la chambre : j'avais fait ce que j'avais pu et élevé la protestation que je devais.

Mary Clode sortit du salon et me rejoignit dans le hall au moment où j'attaquais le bas de l'escalier.

— Voulez-vous prendre le thé avec nous ?

Tenez, entrez ici, et elle me fit pénétrer dans le salon.

Le feu était allumé et la pièce paraissait confortable et accueillante. Elle me débarrassa de mon pardessus et son frère, qui entrait, le lui prit des mains pour le poser sur une chaise à l'écart, avant de nous rejoindre devant le feu où nous prîmes le thé. Pendant que nous goûtions, il fut question du domaine dont Simon Clode s'était déchargé sur George et celui-ci était assez ennuyé au sujet d'une décision à prendre. Après le thé, nous allâmes tous trois dans le bureau où j'examinai quelques papiers.

Un quart d'heure plus tard, j'étais prêt à partir. Me souvenant que j'avais laissé mon pardessus dans le salon, je retournai le prendre. Mrs Spragg était seule dans la pièce, agenouillée près de la chaise sur laquelle se trouvait le vêtement. Elle paraissait arranger avec un soin superflu la housse en cretonne du siège. D'ailleurs, elle se releva vivement, la figure très rouge, en nous entendant entrer.

— Cette housse ne va pas du tout, dit-elle d'un air mécontent. Certes, je pourrais en faire une qui irait beaucoup mieux!

Je pris mon pardessus, l'enfilai et m'aperçus alors que l'enveloppe contenant le tes-

tament était tombée de ma poche. Je la
ramassai, la remis en place, dis au revoir
et m'en allai.

Je tiens à décrire à présent point par
point ce que j'ai fait en revenant à l'étude.
J'ôtai mon pardessus et sortis le testament
de ma poche. Je tenais encore l'enveloppe
à la main et j'étais debout devant mon
bureau lorsque le clerc entra. Un client
voulait me parler au téléphone et comme
mon poste était en dérangement, je le suivis
dans son propre bureau où je restai environ
cinq minutes occupé au téléphone.

Lorsque j'eus reposé le récepteur, mon
clerc me prévint que Mr Spragg venait
d'arriver et qu'il voulait me parler. Il l'avait
fait entrer dans mon bureau.

Je trouvai ce monsieur assis devant ma
table-bureau. Il se leva et me salua d'une
manière onctueuse avant de se lancer dans
un discours filandreux, qui était une justi-
fication maladroite de leur comportement
à sa femme et à lui. Il avait peur de ce que
les gens pouvaient dire, etc... etc... Son
épouse était connue depuis sa petite enfance
pour la pureté de son cœur et de ses mobiles,
etc... etc... vous voyez le thème. Je crains
d'avoir été assez cassant avec lui, de sorte
qu'il finit par comprendre que sa visite
n'était pas un succès et qu'il s'en alla. Je me

rappelai alors que j'avais laissé le testament sur mon sous-main. Je le pris, scellai l'enveloppe, notai dessus les indications nécessaires et l'enfermai dans le coffre.

J'en arrive à présent au point crucial de mon histoire : Mr Simon Clode mourut deux mois plus tard. Je ne vais pas entrer dans des explications sans fin et je vous dirai simplement ceci : *lorsque l'enveloppe scellée contenant le testament fut ouverte, elle ne contenait qu'une feuille de papier blanc.*

Il s'arrêta, regarda les uns après les autres les visages intéressés de ses amis en cercle autour de lui. Lui-même souriait avec un certain plaisir.

— Vous vous rendez bien compte, n'est-ce pas ? Pendant deux mois, cette enveloppe était restée dans mon coffre. Il n'avait plus été possible d'y toucher à partir de ce moment là, et auparavant, il s'était écoulé un délai très court entre le moment où le testament avait été signé et celui où j'avais enfermé l'enveloppe scellée dans le coffre. Qui avait eu l'occasion d'agir et à quels mobiles cette personne avait-elle obéi ?

« Je vous résume rapidement les points essentiels de l'affaire : Mr Clode signe le testament que je place dans une enveloppe — jusqu'ici tout va bien. Ensuite, je glisse l'enveloppe dans la poche droite de mon pardessus. J'enlève ce vêtement à la demande de Mary, George le lui prend pour aller le poser au bout du salon sans que je cesse une seconde de le regarder. Pendant que je suis dans le bureau, Mrs Eurydice Spragg a eu tout le temps de prendre le testament et de le lire, et le fait de retrouver l'enveloppe par terre semble prouver qu'elle l'a fait. Mais nous en arrivons là à un point curieux : elle avait *l'occasion* de substituer au testament une feuille blanche, mais aucun *motif* pour le faire. Ce testament était en sa faveur et en le remplaçant par une feuille blanche, elle se dépouillait de l'héritage qu'elle avait été si anxieuse d'obtenir. Le même raisonnement est valable pour Mr Spragg. Lui aussi a eu l'occasion de faire disparaître le testament. Il est resté seul dans mon bureau avec le document en question pendant deux ou trois minutes. Mais, une fois encore, ce n'était pas son intérêt d'agir ainsi. Nous nous trouvons donc en face de ce curieux problème : les deux personnes qui ont eu eu *l'occasion* de remplacer le testament par une feuille de papier blanc n'avaient pas de *motif* pour le faire, et les deux personnes qui avaient un *motif* n'en ont pas eu *l'occasion*. Je ne veux pas non plus laver la gouvernante, Emma Gaunt, de tout soupçon. Elle était toute dévouée à son jeune maître et à Mary et elle détestait les Spragg. J'étais certain qu'elle n'aurait pas hésité à accomplir cette substitution si elle y avait pensé. Mais quoiqu'elle ait réellement tenu l'enveloppe lorsqu'elle l'a ramassée pour me la rendre, elle n'a certainement pas pu, sous mes yeux et ceux du malade — moins à redouter que moi, je l'admets — substituer une feuille à une autre, ni même une enveloppe à une autre comme un prestidigitateur (ce dont elle était au surplus bien incapable) parce que j'avais apporté moi-même l'enveloppe en question et que personne n'aurait pu en avoir une autre toute semblable instanta-nément à sa disposition. »

Il regarda son auditoire en lui adressant un léger salut.

— Voilà donc mon petit problème que je vous ai clairement exposé, je l'espère. Je serais à présent curieux de connaître le point de vue de chacun de vous.

Miss Marple, à l'étonnement général, se laissa aller à un petit rire prolongé fort insolite. Quelque chose semblait beaucoup l'amuser.

— Qu'est-ce qu'il y a, tante Jane ? Ne pouvons-nous partager votre plaisir ? demanda Raymond.

— Je pensais au petit Tommy Symonds,

un méchant petit diable, je le crains, mais bien amusant quelquefois. Vous savez, un de ces enfants, au visage de chérubin, toujours prêts à faire une polissonnerie. Je pensais donc à ce qu'il a dit la semaine dernière à l'école du dimanche : « Mademoiselle, dites-vous le jaune des œufs *est* blanc, ou le jaune des œufs *sont* blancs ? » Et Miss Durston lui expliqua que l'on devait dire : « Les jaunes des œufs *sont* blancs ou le jaune d'œuf *est* blanc » et ce petit diable répliqua : « Eh bien, moi, je dirai plutôt que le jaune d'œuf *est* jaune! ». Très vilain de sa part, mais aussi vieux que le monde. Je connaissais cet attrape-nigaud déjà lorsque j'étais enfant.

— Très drôle, ma chère tante, admit Raymond condescendant, mais cela n'a sûrement rien à voir avec la très intéressante histoire que vient de nous raconter Mr Petherick.

— Oh, mais si! La remarque de Tommy était une attrape et l'histoire de Mr Petherick est aussi une attrape. Tout à fait digne d'un homme de loi! Ah, mon cher vieil ami, dit-elle en le menaçant du doigt.

— Je me demande si vous savez vraiment ce qui s'est passé, répliqua le vieil homme en lui lançant un clin d'œil.

Miss Marple sans se troubler, écrivit

quelques mots sur une feuille de papier, la
plia et la lui tendit.

Mr Petherick la déplia, la lut et la
regarda d'un air approbateur.

— Ma chère amie, dit-il, y a-t-il quelque
chose que vous ne sachiez pas ?

— Enfant, je connaissais déjà ce genre
de piège, et je l'ai utilisé, répéta-t-elle
énigmatique.

— Je ne vois pas du tout, avoua sir
Henry, et je suis sûr que Mr Petherick a
quelque habile tour de passe-passe dans sa
manche.

— Pas du tout, pas du tout. Je vous ai
posé un problème qui ne dissimule aucun
traquenard. Ne vous laissez pas impressionner par Miss Marple, qui a sa propre
manière de voir les choses.

— Nous devrions être capables de découvrir la vérité, déclara Raymond West d'un
ton un peu vexé. Les faits paraissent tout
à fait clairs. Cinq personnes ont vraiment
eu la possibilité d'avoir cette enveloppe
entre les mains : les Spragg auraient certes
pu faire la substitution, mais il est tout
aussi évident qu'ils ne l'ont pas faite. Res-
tent les trois autres. Et quand on pense
à la manière extraordinaire dont agissent
les prestidigitateurs sous nos yeux, il ne
me paraît pas impossible que George Clode

ait substitué le testament et l'ait remplacé
par une feuille de papier pendant qu'il
allait poser le pardessus à l'autre bout du
salon.

— Eh bien, pour ma part, je parierai
pour la jeune fille, s'écria Joyce. Je pense
que la gouvernante est descendue en courant pour lui raconter ce qui venait de se
passer. Elle lui a donné une autre enveloppe
bleue et la jeune fille n'a eu qu'à remplacer
l'une par l'autre.

Sir Henry hocha la tête.

— Je ne suis pas d'accord avec vous
deux, dit-il lentement. Les prestidigitateurs
font bien de ces sortes de tours sur une
scène de théâtre ou dans les livres, mais
dans la vie courante et, en particulier, sous
le regard sagace d'un homme tel que mon
vieil ami Petherick, je dirai que c'est impossible. Mais j'ai une idée... ce n'est qu'une
idée et rien de plus. Nous savons que le
professeur Longman était venu faire une
visite et qu'il n'avait pas dit grand-chose.
Il est assez raisonnable de penser que les
Spragg en avaient été bouleversés. Si Simon
Clode ne les avait pas mis dans sa confidence,
ce qui est vraisemblable, ils ont pu considérer l'arrivée de Mr Petherick comme
une catastrophe pour eux, croire que
Mr Clode allait annuler le testament

qu'ils supposaient déjà fait en faveur de Mrs Spragg et en établir un autre qui la dépouillerait, à la suite des révélations de Mr Longman; ou bien, autre alternative, parce que Philip Garrod avait impressionné son oncle en invoquant les droits du sang. Dans ce cas, supposons Mrs Spragg prête à tenter une substitution. Elle y parvient lorsque Mr Petherick surgit, l'empêchant de prendre connaissance du document qu'elle jette en hâte dans le feu de peur que l'homme de loi ne s'aperçoive de sa disparition.

Joyce secoua la tête d'un air décidé.

— Elle ne l'aurait jamais brûlé avant de l'avoir lu.

— Je veux bien que cette solution soit un peu tirée par les cheveux, admit sir Henry de bonne grâce. Je ne suppose pas, hum... que Mr Petherick ait aidé lui-même la providence...

Cette remarque n'était qu'une plaisanterie, mais le petit homme de loi sentit sa dignité offensée et se redressa de toute sa taille.

— Suggestion tout à fait déplacée, dit-il non sans âpreté.

— Et quel est l'avis du docteur Pender? s'enquit sir Henry.

— J'avoue que je n'y vois pas très clair.

Il me semble que la substitution a pu être
faite par Mrs Spragg ou son mari pour la
raison qu'a avancée sir Henry. Si elle n'avait
pas pu lire le testament avant le départ de
Mr Petherick, elle s'est trouvée embar-
rassée ensuite pour le restituer puisqu'elle
ne pouvait avouer son indélicatesse. Peut-
être l'avait-elle placé dans les papiers de
Mr Clode en se disant qu'on l'y retrou-
verait après sa mort. Mais justement, pourquoi ne l'y a-t-on pas retrouvé, voilà ce
que je ne sais pas. Peut-être — c'est une
simple supposition — qu'Emma Gaunt,
par affection pour ses maîtres, l'a délibérément détruit ?

— La solution du docteur Pender me
paraît la meilleure de toutes, s'écria Joyce.
Est-ce vrai, Mr Petherick ?

L'homme de loi secoua la tête.

— Je reprends mon récit là où je l'avais
interrompu. J'étais absolument confondu
et aussi désorienté que vous tous, convaincu
que je ne connaîtrais jamais la vérité, lorsque je l'appris et de la manière la plus
inattendue qui soit.

J'allai à Londres et dînai avec Philip
Garrod environ un mois après l'ouverture
de la fameuse enveloppe et, au cours de la
soirée, il me raconta une histoire qu'il
avait récemment entendue.

— C'est confidentiel, bien entendu, Petherick.

— Comptez sur moi, répliquai-je.

— Un de mes amis, commença-t-il, redoutait que l'un des siens soit lésé par un parent au profit d'une personne absolument indigne. Mon ami n'est peut-être pas très scrupuleux, je le crains. Bref, il y avait dans la maison de son parent une servante très dévouée à ce que j'appellerai les intérêts légitimes. Mon ami lui donna des instructions extrêmement simples : après lui avoir remis un stylo elle devait le mettre dans un des tiroirs du bureau où son parent avait l'habitude de placer lui-même son propre stylo. Si son maître lui demandait de lui servir de témoin et de lui faire passer son stylo pour écrire, elle devrait lui donner non le sien, mais celui-là qui en était l'exacte réplique. Elle n'avait rien d'autre à faire et, comme c'est la créature la plus dévouée qui soit, elle observa fidèlement ses instructions.

Philip Garrod se tut brusquement et me demanda :

— J'espère que je ne vous ennuie pas, Petherick ?

— Pas du tout, répliquai-je, je suis au contraire énormément intéressé.

Nos yeux se croisèrent.

— Vous ne connaissez d'ailleurs pas mon ami, précisa-t-il.

— Je m'en doute, répliquai-je.

— Alors, c'est parfait.

Philip observa encore un silence, puis poursuivit en souriant.

— Vous voyez la chose ? Le stylo était rempli d' « encre sympathique » comme on l'appelle. C'est de l'amidon dilué dans de l'eau additionnée de quelques gouttes d'iode. On obtient un liquide bleu-noir avec lequel on peut très bien écrire, mais le texte s'efface au bout de quatre ou cinq jours.

Miss Marple eut à nouveau un rire étouffé.

— De l'encre sympathique. Je connais ça. J'ai bien souvent joué avec lorsque j'étais enfant.

Et elle fit un petit salut amusé à ses amis, tout en menaçant une fois encore Mr Petherick de son index.

— Mais il n'en reste pas moins que tout ceci n'est qu'un attrape-nigaud, dit-elle. Exactement comme les hommes de loi sont bien capables d'en imaginer !

CHAPITRE XI

LES QUATRE SUSPECTS
(THE FOUR SUSPECTS)

La conversation roulait depuis un long moment sur les crimes inconnus, les crimes impunis et, les uns après les autres, le colonel Bantry et son épouse, aussi potelée que charmante, Jane Helier, le docteur Lloyd et même la vieille Miss Marple avaient donné leur opinion. Seul sir Henry Clithening, haut fonctionnaire de Scotland Yard, à la retraite depuis quelques mois à peine, avait gardé le silence. Il se contentait de tirailler sa moustache — ou plutôt de la caresser — et de laisser errer sur ses lèvres un demi sourire amusé.

— Sir Henry, s'écria tout à coup Mrs Bantry, si vous ne dites rien, je sens que je vais me mettre à hurler. Y a-t-il oui ou non des crimes impunis ?

— Je vois que vous pensez aux énormes manchettes des journaux du soir, ma chère ! Quelque chose comme : SCOTLAND YARD

EN DÉFAUT UNE FOIS DE PLUS, suivi d'une liste de crimes dont les auteurs courent toujours.

— Mais j'imagine que le pourcentage de ces crimes sans solution doit être relativement minime, observa le docteur Lloyd avec bonhomie.

— Certes, oui. Seulement on fait beaucoup moins de bruit à propos des centaines de crimes découverts et de coupables châtiés. Mais là n'est pas la question, je crois. Lorsque vous parlez de crimes *inconnus* et de crimes *restés sans solution,* vous parlez de deux choses totalement différentes. Il faut ranger dans la première catégorie, tous les crimes dont Scotland Yard n'a jamais entendu parler, ceux dont personne ne sait même qu'ils ont été commis.

— Mais je suppose qu'il n'y en a pas beaucoup de ceux-là ? s'écria Mrs Bantry.

— Vraiment ?...

— Sir Henry! Vous ne voulez pas dire qu'*il y en a ?*

— Je serais tentée de penser qu'il y en a, au contraire, un très grand nombre, intervint Miss Marple d'une voix rêveuse.

La charmante vieille demoiselle, sans se départir de son air tranquille à l'ancienne mode, avait fait cette remarque explosive avec la plus grande placidité.

— Ma chère Miss Marple, sourit le colonel Bantry condescendant.

Mais sans se laisser impressionner, celle-ci poursuivit :

— Naturellement beaucoup de gens sont stupides. Et les gens stupides se font prendre quoi qu'ils fassent. Mais il y en a aussi beaucoup qui ne sont pas stupides et on peut trembler en pensant à ce qu'ils pourraient faire s'ils n'avaient pas des principes bien enracinés.

— Oui, approuva sir Henry, bien des gens naissent malins et combien de fois des crimes sont-ils découverts à la suite d'une simple maladresse et chaque fois on est tenté de se demander : s'il n'avait pas commis cette gaffe l'aurait-on jamais découvert ?

— Mais c'est très grave, très grave, en vérité, bougonna le colonel.

— Vous trouvez ?

— Qu'avez-vous l'air d'insinuer, mon cher, avec votre : Vous trouvez ? Naturellement, c'est grave.

— Parce que vous pensez au crime impuni, Bantry. Mais un crime reste-t-il vraiment impuni ? Par la loi, d'accord, mais la cause et l'effet agissent en dehors de la loi. C'est un lieu commun de dire que tout crime porte en soi son châtiment et, pourtant, à mon avis, rien n'est plus vrai.

— Peut-être, peut-être, admit le colonel Bantry, mais cela n'enlève rien à la gravité... à la gravité... Il se tut comme s'il ne trouvait plus ses mots.

Sir Henry Clithening souriait toujours.

— Quatre-vingt-dix-neuf personnes sur cent partagent sans aucun doute votre sentiment, dit-il. Mais vous savez, ce n'est vraiment pas le crime qui est important, c'est l'innocence.

— Je ne comprends pas, avoua Jane Helier.

— Moi si, je comprends, murmura Miss Marple. Lorsque Mrs Trent constata qu'il manquait une demi-couronne dans son porte-monnaie, ce fut la femme de ménage, Mrs Arthur, qui en fut la plus affectée parce que les Trent la soupçonnèrent aussitôt, mais comme ce sont de braves gens et qu'ils savent qu'elle a une nombreuse famille et pour mari un ivrogne ils ne la renvoyèrent pas. Mais ils ne furent plus dès lors les mêmes avec elle et lorsqu'ils partirent en voyage ils ne la chargèrent pas de veiller sur la maison comme les autres années, ce qui fit une grande différence pour elle, et les autres personnes commencèrent à la suspecter aussi. Mais brusquement on découvrit que la coupable était la gouvernante : Mrs Trent la surprit un jour reflétée dans

un miroir par l'entrebâillement d'une porte.
Ce fut par le plus grand des hasards... ou
plutôt grâce à la Providence. Et c'est cela,
je pense, que veut dire sir Henry. La plupart des gens seraient seulement intéressés
par la personne qui avait effectivement
pris l'argent et qui se trouvait être dans ce
cas, la moins soupçonnable... comme dans
les romans policiers! Mais la seule personne
pour qui c'était, en somme, une question
de vie ou de mort était la pauvre malheureuse qui n'avait rien fait... C'est bien là
votre pensée, n'est-ce pas, sir Henry?

— Oui, Miss Marple. Vous avez exactement expliqué mon sentiment. Votre femme
de ménage a eu de la chance : son innocence
a été prouvée. Mais un doute injustifié
accable beaucoup de gens tout au long de
leur vie.

— Avez-vous un cas précis présent à
l'esprit, sir Henry? insinua Mrs Bantry.

— Dans un certain sens oui, ma chère
amie. Une affaire très curieuse : tout per-
mettait de supposer qu'il y avait eu meurtre,
mais il fut impossible de le prouver.

— Du poison sans doute, soupira Jane.
Un bon petit poison qui ne laisse pas de
traces.

Le docteur Lloyd s'agita fébrilement sur
son fauteuil et sir Henry secoua la tête.

— Non, ma chère! Il ne s'agit pas du poison mystérieux dont sont imprégnées les flèches des indigènes d'Amérique du Sud! J'aurais souhaité que ce *fût* une histoire dans ce goût-là mais nous nous sommes heurtés à un problème plus prosaïque, si prosaïque du reste, qu'il n'y a à peu près aucune chance de mettre un jour la main sur son auteur. Un vieux monsieur qui tombe du haut d'un escalier et se rompt le cou, quoi de plus banal, je vous le demande? Cela fait partie du lot des accidents regrettables, mais quotidiens qui ne sont pas pour autant des crimes.

— Mais qu'était-il arrivé au juste?

— Qui pourrait le dire? Sir Henry haussa les épaules. Une poussée par derrière? Un fil, ou une ficelle, tendu dans le haut des marches et retiré ensuite? Nous ne le saurons sans doute jamais.

— Pourquoi n'avez-vous pas cru et ne croyez-vous pas encore aujourd'hui au simple accident? demanda le médecin.

— C'est une assez longue histoire, mais... Eh bien, oui, nous avons eu la quasi certitude qu'il s'agissait bien d'un meurtre. Toutefois comme je l'ai dit, il y a peu de chance de découvrir le coupable, nos soupçons, et mêmes nos preuves étant à cette heure encore trop fragiles. Et puis, il y a l'autre aspect de l'affaire, celui dont je vais à présent vous parler. Voyez-vous, il y a quatre personnes susceptibles d'avoir fait le coup. Un seul coupable, trois innocents. Et, à moins que la vérité n'éclate un jour, ces trois-là traîneront derrière eux toute leur vie l'ombre d'un doute. Convenez que c'est affreux.

— Oui, mais je suis d'avis que vous nous racontiez votre longue histoire maintenant que vous avez aiguisé notre curiosité, suggéra Mrs Bantry.

— Si vous voulez... Je peux au reste abréger en vous résumant le début de l'affaire, réfléchit tout haut sir Henry. Il s'agit donc, au départ, d'une société secrète allemande, « La Main Noire », une sorte de Camorra ou, plutôt, de ce que les gens s'imaginent être la Camorra. Un mélange de chantage et de terrorisme, si vous voulez. Cette société naquit après la guerre et prit rapidement de l'extension. Des gens en grand nombre tombèrent sous ses coups et les autorités s'avéraient impuissantes à la démanteler, car le secret était jalousement gardé par ses membres et il avait été impossible de trouver un seul d'entre eux disposé à la trahir.

En Angleterre on ignora à peu près tout de ses agissements mais en Allemagne « La

Main Noire » eut une action tout à fait
néfaste. Elle finit tout de même par être
démantelée grâce aux efforts d'un certain
docteur Rosen qui fut à une certaine époque
une personnalité marquante des services
secrets allemands. Il réussit à devenir
membre de la société, fut initié à tous les
secrets et devint donc ainsi l'instrument de
sa perte.

Mais il était repéré et la sagesse la plus
élémentaire lui conseillait de quitter l'Allemagne, tout au moins pour un certain
temps. Il partit donc pour l'Angleterre et
la police de Berlin nous l'adressa avec une
lettre de recommandation. Je le reçus
longuement et il me fit la meilleure impression. Il était à la fois impassible et
résigné.

— Ils m'auront, sir Henry, me dit-il. Il
n'y a pas de doute.

C'était un homme grand et fort, au beau
visage intelligent, à la voix grave, traversée
de quelques intonations gutturales qui seules
trahissaient sa nationalité.

— J'avais prévu cette éventualité avant
de m'engager dans ce combat et ma mort
n'a pas d'importance. Je suis prêt. L'organisation ne pourra plus se reconstituer ;
c'est là l'essentiel. Mais il y a encore beaucoup de ses membres en liberté et ceux-là

prendront la seule revanche qui est en leur pouvoir : ma vie. C'est simplement une question de temps. Je souhaite seulement que ce temps soit aussi long que possible. Voyez-vous, j'écris mesmé moires, je veux dire les souvenirs de ma vie de lutte contre les malfaiteurs de toutes catégories, le fruit de mon expérience, parce que je crois que je pourrai rendre encore ainsi quelques services et je voudrais avoir la possibilité de mener ma tâche à son terme.

Il parlait avec une simplicité et un naturel que je ne pouvais m'empêcher d'admirer. Je l'assurai que nous prendrions toutes les mesures qui s'imposeraient pour assurer sa sécurité, mais il balaya mes propos d'un sourire et d'un revers de main.

— Quelque jour ils m'auront d'une manière ou d'une autre, répéta-t-il. Lorsque ce sera venu, ne vous mettez pas en peine. Vous aurez fait, je n'en doute pas, le maximum pour reculer l'échéance, je vous en suis, par avance, reconnaissant.

Il m'exposa ensuite son plan qui était très simple en vérité. Il envisageait de s'installer à la campagne dans un coin tranquille où il pourrait poursuivre son œuvre en paix. Il arrêta son choix en définitive sur un village du Somerset — King's Gnaton — situé à une dizaine de kilomètres de la gare la plus proche et miraculeusement épargné par la civilisation. Il acheta un charmant petit cottage, y fit faire quelques aménagements pour le rendre plus confortable et s'y installa avec beaucoup de satisfaction. La maisonnée se composait de Greta, sa nièce, d'un secrétaire, d'une vieille domestique allemande, à son service depuis une quarantaine d'années, et d'un jardinier, homme à tout faire, originaire du pays.

— Les quatre suspects, murmura le docteur Lloyd.

— Exactement. Les quatre suspects... Je n'ai plus grand-chose à ajouter. La vie s'écoula paisiblement à King's Gnaton pendant cinq mois et puis le coup partit. Le docteur Rosen tomba un matin dans l'escalier et seulement découvert une demi-heure après il avait cessé de vivre. Gertrude était dans sa cuisine, la porte fermée, et elle n'avait rien entendu — d'après *ses* dires. Fraülein Greta était dans le jardin occupée à planter des oignons de je ne sais quoi — d'après *ses* dires aussi. Le jardinier, Dobbs, cassait la croûte dans la cabane à outils — à ce qu'*il* dit; et le secrétaire était sorti faire une promenade et, une fois de plus, il n'y eut là encore que le témoignage de l'intéressé. Personne n'avait d'alibi contrôlable, personne ne pouvait confirmer la déclaration de personne. Mais une chose *est* certaine : ce n'était pas quelqu'un de l'extérieur qui l'avait tué, car un étranger aurait tout de suite été repéré dans le petit village. Les deux portes d'entrée étaient fermées à clef, chaque membre de la maisonnée ayant sa propre clef. Vous voyez donc que l'affaire se circonscrivait entre les quatre commensaux de la victime. Et pourtant ils semblaient tous au-dessus de tout soupçon : Greta, la fille de son frère, Gertrude et ses quarante années de loyaux services, Dobbs qui n'avait jamais quitté King's Gnaton. Et Charles Templeton, le secrétaire...

— Justement, celui-là, mon cher, d'où sortait-il ? intervint vivement le colonel. Pour moi, il est le suspect numéro un. Qu'est-ce que vous saviez sur lui ?

— C'était justement ce que je savais sur lui qui le mettait tout le premier hors de cause, répondit sir Henry avec gravité. Charles Templeton était un de mes hommes.

— Ah, bon, bon, souffla le colonel Bantry tout déconfit.

— Oui, je voulais avoir quelqu'un sur place et en même temps je ne voulais pas provoquer les bavardages du village. Rosen avait besoin d'un secrétaire. Je lui proposai donc Templeton qui avait l'avantage de parler couramment l'allemand et qui était en outre, un excellent policier.

— Mais alors qui soupçonner ? s'écria Mrs Bantry d'une voix troublée. Tous ces gens semblent tous si... ma foi, oui, à vous entendre, si bien.

— En apparence, certes. Mais on peut voir les choses sous un autre angle. Fraülein Greta était bien la nièce du docteur Rosen mais depuis la guerre nous avons été les témoins horrifiés de gestes et d'actions inconcevables en un autre temps : un frère se tournant contre sa sœur, un père contre son fils et ainsi de suite, et encore la fille la plus ravissante et la plus gentille faire les choses les plus invraisemblables. Le même critère s'applique à Gertrude et, dans son cas, d'autres éléments pouvaient encore entrer en jeu : une querelle avec son maître, ressuscitant une vieille rancune enfouie sous des années de loyaux services. Les vieilles femmes de ce milieu sont, quelquefois, étonnamment rancunières. Et Dobbs ? Devait-il être écarté parce qu'il vivait en quelque sorte en dehors ? Sûrement pas. L'argent pouvait être le facteur qui l'avait fait agir. Pourquoi ne l'aurait-on pas acheté ?

Une chose pourtant semble certaine : un message ou un ordre arriva de l'extérieur.

Sinon comment expliquer les cinq mois de grâce ? Tout simplement parce que les membres, encore en liberté, de la société réunissaient les preuves de la trahison de Rosen dont ils n'avaient sans doute pas la confirmation absolue et, lorsqu'ils n'eurent plus aucun doute, ils ont envoyé l'ordre malgré les murs du jardin et les portes verrouillées, l'ordre de le « tuer ».

— C'est horrible, s'écria Jane en frissonnant.

— Il s'agissait pour nous de savoir par quelle voie le message était arrivé, poursuivit sir Henry, et c'est le point que j'ai essayé d'élucider, car c'était le seul espoir que nous pouvions avoir de résoudre le problème. Il fallait logiquement que l'une de ces quatre personnes ait été en contact avec l'extérieur ou que l'on ait communiqué avec elle d'une manière ou d'une autre. Il n'y avait certainement pas eu de délai entre la réception de l'ordre et son exécution, dans ces sortes de règlements de comptes la livraison suit la commande, si je peux m'exprimer ainsi. C'était par ailleurs la manière d'agir expéditive de « La Main Noire ».

J'attaquai le problème d'une manière qui va peut-être vous paraître ridiculement méticuleuse et trop traditionnelle. Mais cette

méthode a fait ses preuves et je m'y tiens.
Donc je me posai une première question :
« Qui est venu au cottage ce matin-là ? » Je
n'éliminai à priori personne et voici la liste
des visiteurs.

Sir Henry sortit une enveloppe de la
poche intérieure de sa veste et en retira une
feuille de papier.

— D'abord le *boucher* qui a apporté un
ragoût de mouton. On a vérifié. C'était
exact.

Ensuite le *commis de l'épicier* qui a livré
un paquet de farine, deux livres de sucre,
une livre de beurre et une livre de café.
Contrôlé. Exact.

Enfin le *facteur* pour le courrier, c'est-à-
dire : deux prospectus au nom de Fraülein
Rosen, une lettre postée au village pour
Gertrude, trois lettres pour le docteur Rosen
lui-même, dont une postée à l'étranger et
deux lettres pour Mr Templeton dont une
émanant aussi de l'étranger.

Sir Henry s'interrompit à nouveau pour
retirer d'autres papiers de l'enveloppe.

— Si vous voulez vous rendre compte
par vous-même. Les différents intéressés me
les ont remis, ou nous les avons prélevés
dans les corbeilles à papiers. Je n'ai pas
besoin de vous dire qu'ils ont été soumis à
nos laboratoires qui ont recherché, no-

tamment, des traces d'encre sympathique. Résultat négatif.

Le petit auditoire de sir Henry se rapprocha avec curiosité. Les deux prospectus provenaient d'un pépiniériste et d'un grand fourreur londonien. Deux des lettres adressées au docteur Rosen contenaient des factures, l'une d'un grainetier local pour des semences destinées au jardin, l'autre d'une papeterie de Londres. Quant à la troisième, on y lisait ceci :

Mon cher Rosen,

Je rentre de chez le docteur Helmuth Spath. J'ai vu Edgard Jackson l'autre jour. Lui et Amos Perry revenaient tout juste de Tsing-Tao. En toute Honnêteté, je ne peux dire que je les envie d'avoir fait ce voyage. Donnez-moi bientôt de vos nouvelles. Comme je vous l'ai déjà dit : méfiez-vous d'une certaine personne. Vous savez qui je veux dire, bien que vous ne soyez pas d'accord avec moi. Bien à vous.

Georgina.

— Je continue, reprit sir Henry. Mr Templeton avait reçu cette facture de son tailleur et une lettre d'un ami allemand malheureusement déchirée et jetée au cours de sa promenade. Et, enfin, voici la lettre adressée à Gertrude :

Chère Mrs Swartz,

Nous espérons qu'il vous sera possible d'assister à la petite fête de vendredi soir au patronage comme l'espère M. le Pasteur. La recette du jambon était excellente et je vous en remercie vivement.

Avec l'espoir que ma lettre vous trouvera en bonne santé et que nous vous verrons vendredi, je reste bien fidèlement vôtre.

Emma Greene.

Cette dernière lettre amena un léger sourire sur les lèvres du docteur Lloyd et sur celles de Mrs Bantry.

— Je suppose que celle-ci peut-être écartée d'office, dit le praticien.

— C'était aussi mon avis, répliqua sir Henry, mais j'ai pris la précaution de vérifier s'il existait bien une Mrs Greene à King's Gnaton et si une séance récréative était prévue à la paroisse. On n'est jamais assez prudent, vous savez.

— C'est ce que dit toujours notre amie, Miss Marple, remarqua le médecin en regardant avec un bon sourire la vieille demoiselle. Au fait, vous rêvez tout éveillée, chère Miss Marple. A quoi pensez-vous donc ?

Miss Marple tressaillit comme si, effectivement, on l'avait tirée d'une douce somnolence.

— C'est vraiment stupide de ma part, dit-elle, mais j'étais en train de me demander pourquoi le mot « Honnêteté » est écrit avec un H majuscule dans la lettre adressée au docteur Rosen.

Mrs Bantry se pencha vivement sur la feuille de papier et s'écria toute surprise : « Oh, par exemple ! c'est vrai ! »

— Mais oui, ma chère. Je pensais que vous l'aviez remarqué vous aussi.

— Il y a un avertissement précis dans cette lettre, dit le colonel. Un conseil de prudence. C'est la première chose qui a attiré mon attention. J'observe plus que je n'en ai l'air, vous voyez, mon cher ! Oui, un avertissement précis... Mais contre qui ?

— Il y a encore une chose assez curieuse au sujet de cette lettre, reprit sir Henry. D'après Templeton, le docteur Rosen l'a ouverte pendant le petit déjeuner et la lui a lancée à travers la table en disant qu'il ne connaissait ce type ni d'Ève ni d'Adam.

— Mais ce n'était pas un « type » intervint Jane Helier. La lettre est signée « Georgina ».

— Difficile à dire exactement, observa le docteur Lloyd. On peut aussi bien lire « Georgey » que « Georgine » mais, évidemment, je pencherai plutôt pour « Georgina ». Cependant l'écriture m'inclinerait à penser qu'il s'agit d'un homme.

— Savez-vous que c'est diablement intéressant, s'écria le colonel Bantry enthousiasmé. Le fait de jeter cette lettre comme ça à travers la table en prétendant qu'il n'y comprenait rien est très habile. Voulait-il observer le visage de quelqu'un ? Lequel ? Celui de la jeune fille ? Celui de l'homme ?

— Ou même celui de la cuisinière ? suggéra Mrs Bantry. Elle pouvait être dans la pièce à ce moment-là pour servir le petit déjeuner. Mais ce que je ne vois pas, c'est... c'est très bizarre.

Elle reporta son regard sur la lettre en fronçant les sourcils. Miss Marple se mit à côté d'elle, tapota la feuille de l'index et les deux dames rapprochant leurs têtes se mirent à chuchoter.

— Mais pourquoi le secrétaire a-t-il déchiré sa seconde lettre ? demanda soudain Jane Helier. Cela semble... — Oh! je ne sais pas — enfin, cela semble curieux. Pourquoi recevait-il des lettres d'Allemagne ? Quoique, naturellement, il est au-dessus de tout soupçon comme vous le dites...

— Mais sir Henry n'a pas dit ça, s'écria vivement Miss Marple émergeant de sa petite conférence avec Mrs Bantry. Il a dit quatre suspects ce qui signifie qu'il y comprend Mr Templeton. J'ai raison, n'est-ce pas, sir Henry ?

— Absolument, Miss Marple. J'ai appris une chose à la suite d'amères expériences : ne se dire jamais à soi-même que quiconque est au-dessus de tout soupçon. Je viens de vous donner à l'instant les raisons qui font que trois de ces personnes pouvaient être coupables, aussi invraisemblable que cela paraisse. Je n'ai pas encore appliqué la même méthode à Charles Templeton. Mais j'en arrive maintenant à lui pour rester fidèle au principe que j'ai énoncé il y a un instant. J'ajouterai encore un mot auparavant : il faut admettre que toute armée, toute marine, toute police a un certain nombre de traîtres dans ses rangs, pour autant que cette idée nous déplaise. J'ai donc examiné à froid le cas de Charles Templeton.

Je me suis posé la même question que Miss Helier vient de soulever. Pourquoi était-il seul incapable de produire une des lettres qu'il avait reçues, et justement celle provenant d'Allemagne ? Pourquoi et comment recevait-il des lettres d'Allemagne ?

Cette dernière question était anodine et je la lui posai bel et bien. Sa réponse fut assez simple et naturelle. La sœur de sa mère avait épousé un Allemand et la lettre lui avait été envoyée par une cousine. J'appris ainsi un détail capital que j'ignorais jusque là : Charles Templeton connaissait des gens en Allemagne. Cette conjoncture le mit d'emblée sur la liste des suspects, le mit même en tête de liste. C'est un garçon à moi... Un garçon que j'ai toujours apprécié et en qui j'ai eu toute confiance mais, en toute justice et loyauté, c'était là qu'il devait être.

Mais c'est... Je ne sais pas!... Je ne *sais* pas!... Et, de toute évidence, je ne saurai jamais. Ce n'est pas la question de punir un meurtre. C'est une question qui me semble mille fois plus importante : c'est la flétrissure, peut-être, de toute la carrière d'un honnête homme... à cause d'un soupçon que je ne peux pas me permettre de négliger.

Miss Marple toussota et dit avec douceur :

— Alors, sir Henry, si je vous comprends bien, c'est sur ce jeune Mr Templeton que pèsent surtout vos soupçons?

— Dans un certain sens, oui. Il devrait en être de même pour tous les quatre, mais ce n'est pas véritablement le cas. Dobbs, par exemple, qu'importe que je le suspecte,

mon soupçon n'affectera pas sa carrière.
Personne dans le village n'a jamais pensé
que la mort du vieux docteur Rosen n'était
pas due à un accident. Gertrude est légèrement plus touchée : ce doute qui plane peut
influencer l'attitude de Fraülein Rosen à
son égard. Mais, en tout état de cause,
cela n'aura pas grande importance pour elle.

Quant à Greta Rosen... eh bien, nous en
arrivons avec elle au nœud du problème.
Greta est une très jolie fille et Charles Templeton est un jeune homme fort agréable
à regarder, et pendant cinq mois ils ont
vécu côte à côte sans autre distraction
qu'eux-mêmes. L'inévitable s'est produit.
Ils sont tombés amoureux l'un de l'autre...
même s'ils n'en étaient pas encore au stade
des aveux au moment de la mort de Rosen.

C'est-à-dire il y a trois mois maintenant.
Et qui ai-je vu arriver un jour il n'y a pas
longtemps chez moi ? Greta Rosen. Elle
avait vendu le cottage et était retournée en
Allemagne pour régler définitivement les
affaires de son oncle. Dès son retour en
Angleterre, dit-elle, elle s'était permis de
venir sonner à ma porte, bien qu'elle sache
que j'avais entre-temps pris ma retraite,
pour me parler d'une affaire personnelle.
Elle tourna un peu autour du pot, comme
on dit, mais enfin tout sortit... Qu'est-ce

que j'en pensais ? Cette lettre portant un timbre allemand — cela l'avait tourmentée, terriblement tourmentée — et Charles qui l'avait justement déchirée... La seule que l'on n'avait pas retrouvée. Était-ce bien ? Certainement ce *devait* l'être. Évidemment elle croyait l'histoire qu'il avait racontée, mais... oh! si seulement elle savait : si elle savait — d'une façon certaine ?

Vous remarquez ? Le même sentiment : le désir de savoir... mais le même horrible soupçon secret, résolument repoussé au fond de l'esprit mais persistant néanmoins. Je lui parlai avec la plus grande franchise et la priai d'agir de même. Je lui demandai si elle aimait Charles et si lui de son côté...

— Je pense que oui, me dit-elle. Oh! oui, j'en suis sûre. Nous étions si heureux. Chaque jour passait si agréablement. Nous savions... que nous savions tous les deux. Mais nous n'étions pas pressés, nous avions tout le temps. Quelque jour il me dirait qu'il m'aimait, et je lui répondrais que moi aussi... Ah! mais vous pouvez deviner! Maintenant tout est bouleversé. Un nuage noir a surgi entre nous. Nous sommes gênés lorsque nous nous rencontrons et nous ne savons que nous dire et nous pensons certainement la même chose : « Si j'étais *sûre* ? » C'est pourquoi, sir Henry, je vous supplie de me dire : « Je vous donne ma parole que ce n'est pas Charles Templeton qui a tué votre oncle! » Dites-le moi! Oh, dites-le moi! Je vous en prie! Je vous en supplie!

— Eh, sacrebleu! s'emporta soudain sir Henry en assenant un coup de poing sur la table, je n'étais pas en mesure d'engager ainsi ma parole. Ils s'éloigneraient de plus en plus l'un de l'autre ces deux-là, séparés par le soupçon comme par un fantôme, un fantôme que je n'avais pas le droit de balayer de propos délibéré.

Il se rejeta contre le dossier de son fauteuil, le visage tout à coup tiré et grisâtre et il hocha la tête une fois ou deux en signe de découragement.

— Et il n'y a rien d'autre à faire, à moins...

Il se redressa et un sourire fugitif, inattendu illumina un instant sa figure.

— A moins que Miss Marple puisse m'aider. Qu'en pensez-vous, ma chère demoiselle? J'ai le pressentiment que cette lettre pourrait être de votre ressort. Celle transmettant l'invitation pour la séance au patronage. Ne vous rappelle-t-elle pas quelque chose ou quelqu'un qui rendrait toute cette affaire parfaitement claire? Ne pouvez-vous rien faire pour aider deux jeunes gens désespérés qui voudraient être heureux?

Pour aussi bizarre que soit ce recours à une vieille demoiselle de village de la part d'un routier chevronné de Scotland Yard, il n'en était pas moins sérieux. Sir Henry Clithening avait une très grande confiance dans le bon sens de la fluette Miss Marple, si bien qu'un très grand espoir brillait dans ses pupilles lorsqu'il leva les yeux vers elle de l'autre côté de la table.

La vieille demoiselle toussota, gênée, et lissa la dentelle de sa blouse.

— Cela me rappelle un peu l'affaire d'Annie Poultny, reconnut-elle. La lettre est parfaitement claire, bien entendu, pour Mrs Bantry et moi-même. Je veux dire non pas l'invitation mais l'autre, celle adressée par un ou une inconnue au docteur Rosen. Vous qui vivez surtout à Londres, sir Henry, vous n'avez que de vagues notions de jardinage, n'est-il pas vrai, et vous n'avez rien remarqué, de ce que nous avons compris, Mrs Bantry et moi?

— Eh, sursauta l'interpellée, remarqué quoi?

Miss Marple regarda son amie et celle-ci choisit un catalogue sur la table. Elle l'ouvrit et commença à lire d'une voix unie où perçait tout de même une pointe de délectation :

« Docteur Helmuth Spath. Fleur splendide de couleur lilas portée par une tige exceptionnellement longue et droite. Splendide comme fleur coupée et comme fleur de massif. Nouveauté d'une beauté remarquable.

« Edgar Jackson. Fleur d'un beau rouge brique rappelant le chrysanthème.

« Amos Perry. Très décorative et d'un beau rouge vif.

« Tsing Tao. Rouge orangé vif. Belle plante de jardin et fleur coupée durable.

« Honesty...

— Avec un H majuscule, vous vous souvenez, murmura Miss Marple.

« Honesty. Existe en rose et blanc. Fleur énorme mais parfaite. »

Mrs Bantry rejeta le catalogue sur la table et dit d'une voix vibrante :

— Il s'agit de *Dahlias!*

— Et la première lettre de chacune de ces espèces forme le mot DEATH (1) expliqua gentiment Miss Marple.

— Mais la lettre a été envoyée au docteur Rosen lui-même, objecta sir Henry.

— C'est le côté très ingénieux de la machination, dit Miss Marple. La lettre et la mise en garde qu'elle contenait. Que

(1) MORT.

ferait, en effet, le docteur Rosen en recevant une lettre écrite par un inconnu et bourrée de noms tout aussi inconnus? Tout naturellement il la donnerait à son secrétaire.

— Alors, après tout...

— Oh, mais *non!* protesta la vieille demoiselle. *Pas* le secrétaire. Voyons, c'est ce qui prouve bien que ce n'est pas lui le coupable. Il n'aurait jamais laissé trouver cette lettre s'il avait été le coupable. Et il n'aurait pas détruit non plus une lettre portant un timbre allemand. Vraiment son innocence est, si vous me permettez d'employer ce mot, *éclatante*.

— Mais alors qui...

— Eh bien, il semble presque certain — aussi certain que quelque chose peut l'être en ce moment — que la troisième personne assise à la table du déjeuner... a dû — geste tout naturel en raison des circonstances — étendre la main pour prendre la lettre et la lire. Vous vous souvenez qu'elle avait reçu le catalogue d'un pépiniériste par le même courrier...

— Greta Rosen, dit lentement sir Henry. Alors sa visite...

— Les messieurs ne savent pas discerner ces choses, dit gentiment Miss Marple. Et je crains qu'ils pensent souvent que nous, les vieilles femmes, nous sommes, disons le mot, dotées d'yeux de chat pour voir les choses comme nous le faisons. Mais c'est ainsi. J'en sais long, malheureusement, sur mon propre sexe. J'ai eu tout de suite le pressentiment qu'il y avait un obstacle entre ces jeunes gens. Le jeune homme a éprouvé une répulsion soudaine, inexplicable à l'égard de cette Greta. Il a soupçonné instinctivement quelque chose et il n'a pu cacher le doute qui l'étreignait. Et je pense vraiment que la visite faite par cette jeune fille lui avait été dictée par le dépit. Elle a agi avec beaucoup d'habileté et de prudence lorsqu'il a fallu tuer sur ordre, mais elle s'est départie de cette prudence juste assez pour fixer vos soupçons définitivement sur le pauvre Mr Templeton. Reconnaissez que vous n'étiez pas du tout aussi sûr de la culpabilité de votre collaborateur avant qu'après la visite de la belle Greta.

— J'étais convaincu qu'il n'y avait rien de ce qu'elle disait..., commença sir Henry.

— Les messieurs n'entendent rien à ces choses, répéta avec calme Miss Marple.

— Et cette fille... Il se tut une seconde. Elle a commis froidement un meurtre et elle s'en est tirée sans dommage.

— Oh! mais non, sir Henry, protesta Miss Marple. Pas du tout sans dommage. Ni vous ni moi nous ne pouvons croire cela.

Souvenez-vous de ce que vous avez dit il n'y a pas si longtemps. Non, Greta Rosen n'échappera pas au châtiment. Pour commencer elle est liée à une bande d'individus peu recommandables — des maîtres chanteurs et des terroristes — auprès de qui l'existence ne doit pas être de tout repos et, en second lieu, nous pouvons lui prédire une fin tragique sans grand risque d'erreur. Mais comme vous l'avez remarqué si justement, on ne peut s'attarder sur le sort du coupable, seul l'innocent compte. D'abord Mr Templeton, qui, j'ose le dire, épousera cette cousine allemande, a eu un geste que l'on a pu qualifier de suspect en déchirant l'une de ses lettres. Il a eu ce réflexe, à mon avis, comme s'il redoutait que l'autre fille voie, ou lui demande de lire cette missive et c'est ce qui me fait croire qu'il y a quelque idylle là-dessous. Ensuite il y a Dobbs bien que, comme vous l'avez si justement remarqué, les répercussions de cette histoire ne rejaillissent vraiment pas sur lui : son casse-croûte doit être son unique préoccupation. Et enfin il y a cette pauvre vieille Gertrude, celle qui m'a fait penser à Annie Poultry. Avoir derrière soi un demi-siècle de fidélité à la même maîtresse et être soupçonnée d'avoir détruit le testament de Miss Lamb, bien que rien n'ait pu être prouvé, il y a de quoi subir un choc. La pauvre créature en a eu son vieux cœur fidèle brisé et ce n'est qu'après sa mort qu'on a découvert le testament dans le double fond de la boîte à thé où la vieille Miss Lamb l'avait mis elle-même en lieu sûr. Mais il était trop tard pour la pauvre Annie.

C'est ce qui me tourmente pour cette pauvre vieille femme. Lorsqu'on prend de l'âge on devient facilement amer. Je ressens beaucoup plus de chagrin pour elle que pour Mr Templeton qui est jeune, beau garçon et, évidemment, regardé d'un œil complaisant par les dames. Vous devriez lui écrire, sir Henry, pour lui dire que son innocence est définitivement bien établie. Son cher vieux maître mort et elle ressassant ce malheur et sentant en plus qu'on la soupçonne... Oh, c'est affreux d'y penser et ça m'est insupportable !

— Je lui écrirai, Miss Marple, promit sir Henry, qui poursuivit après l'avoir regardée quelques secondes avec curiosité : « Vous savez, je ne vous comprendrai jamais. Vous avez une vue des choses absolument imprévisible pour moi. »

— Ma vue, je le crains, est assez courte, répliqua Miss Marple avec modestie et humour. Je suis à peine sortie de St. Mary Mead.

— Et cependant vous avez résolu ce que l'on peut appeler un mystère international. Car vous l'*avez* résolu. J'en suis convaincu.

Miss Marple rougit, puis se rengorgea un peu.

— J'ai été assez bien élevée, je crois, pour mon époque. Ma sœur et moi, nous avons eu une gouvernante allemande, une Fraülein. Une créature très sentimentale. Elle nous enseignait le langage des fleurs, matière aujourd'hui négligée dans les études mais qui était bien charmante. Une tulipe jaune, par exemple, signifie : Amour désespéré tandis qu'une reine-marguerite signifie : Je meurs de jalousie à vos pieds. Cette lettre était signée Georgina qui, je crois me le rappeler, signifie dahlia en allemand et cela, naturellement, rend les choses tout à fait claires.

J'aimerais me souvenir du symbole du dahlia mais, hélas, il m'échappe. Ma mémoire n'est plus ce qu'elle était.

— Par hasard il ne signifierait pas DEATH ?

— Oh, non ! C'est horrible, n'est-ce-pas ? Il y a des choses vraiment tristes dans le monde.

— Vraiment oui, soupira Mrs Bantry. Il est heureux celui qui a des fleurs et celui qui a des amis.

— Je vous fais remarquer qu'elle nous met en dernier, dit le docteur Lloyd.

— Un homme a l'habitude de m'envoyer des orchidées tous les soirs au théâtre, rêva tout haut Jane Helier.

— J'attends vos faveurs... Voilà ce que signifie cet envoi, expliqua vivement Miss Marple avec un sourire malicieux.

Sir Henry eut une étrange petite toux et détourna la tête. Quant à Miss Marple elle poussa une exclamation.

— J'ai trouvé! Le dahlia signifie : Perfidie et faux-semblant.

— Merveilleux! Absolument merveilleux! s'écria sir Henry.

Et il soupira.

CHAPITRE XII

UNE NOYÉE AU VILLAGE
(DEATH BY DROWINNG)

Ancien haut fonctionnaire de Scotland Yard, sir Henry Clithening passait quelques jours, comme cela lui arrivait fréquemment depuis qu'il était à la retraite, chez ses amis, les Bantry, dont la propriété avoisinait le petit village de St. Mary Mead, quand, un samedi matin, alors qu'il descendait sans se presser prendre son petit déjeuner sur le coup de dix heures, il fut presque bousculé sur le seuil de la salle à manger par son hôtesse, Mrs Bantry. La bonne dame, contrairement à ses principes et à ses habitudes, se précipitait hors de la pièce dans un état d'agitation et d'émotion extrême.

Lorsque sir Henry entra, le colonel Bantry était assis devant la table, le visage plus congestionné encore qu'à l'ordinaire mais la voix empreinte comme toujours d'affectueuse cordialité pour saluer son vieil ami.

— Bonjour, Clithening, bonjour. Beau

temps ce matin! Asseyez-vous et servez-
vous, mon cher.

Sir Henry obéit sans se faire davantage
prier et tandis qu'il mettait devant lui une
assiette de rognons au bacon, son hôte
poursuivit :

— Dolly est quelque peu bouleversée ce
matin...

— Oui... (sir Henry toussota). J'ai cru
le comprendre, ajouta-t-il avec mesure.

Il était pourtant surpris. Son hôtesse
était une femme charmante, équilibrée, peu
sujette aux sautes d'humeur et aux énerve-
ments regrettables. Pour autant qu'il pouvait en juger, elle ne se passionnait vraiment
que pour une seule chose au monde — le
jardinage.

— Oui, reprenait le colonel. Une nouvelle
que nous avons apprise tout à l'heure l'a
terriblement secouée. Une petite du village
— la fille d'Emmott... Vous savez Emmott,
le propriétaire du « Sanglier bleu »...

— Ah, oui, parfaitement.

— Eh bien, cette petite... Jolie fille
d'ailleurs... (Le colonel Bantry paraissait
troublé à son tour). Oui, je disais donc, cette
petite s'était mise dans un mauvais cas...
Hum... Vous voyez... L'éternelle histoire.
J'en avais discuté avec Dolly et je m'en
suis repenti ensuite, mon cher. Vous savez

comment sont les femmes : dans ce domaine elles perdent toute sagesse. Dolly avait pris fait et cause pour la petite : les hommes sont des brutes... etc, etc... Mais ce n'est pas aussi simple que cela, surtout de nos jours. Les filles savent très bien aujourd'hui ce qu'elles font et ce qu'elles risquent et les types qui les séduisent ne sont pas nécessairement des coquins sans conscience. Je dirais volontiers que, dans ce domaine, le garçon et la fille sont à égalité, moitié - moitié, hein... Je connais assez bien le petit Sandford. Un jeune imbécile plutôt qu'un irrésistible Don Juan, si vous voulez mon avis.

— C'est ce Sandford qui a mis cette petite à mal ?

— Il paraît. Naturellement je ne sais rien moi-même, se hâta d'ajouter le colonel avec circonspection. C'est ce qu'on raconte dans le village. Cancans et commérages portés sur les ailes du vent ! Vous connaissez le pays, hein !.. Comme je viens de vous le dire : je ne *sais* rien. Et je ne suis pas comme Dolly, sautant d'emblée aux conclusions, lançant des accusations à tous les échos. Sacré nom d'un petit bonhomme, il faut être prudent en ces matières et ne pas parler à tort et à travers. Vous connaissez le processus mieux que tout autre, hein, mon cher... Enquête et tout le bazar.

— Enquête ?

Le colonel regarda fixement son ami.

— Je ne vous ai donc pas dit ?... La gamine s'est noyée. C'est ce qui fait tout ce bruit.

Sir Henry hocha la tête.

— Sale affaire, convint-il.

— Évidemment c'en est une. Je préfère ne pas y penser. Pauvre jolie petite bougresse ! Tout compte fait son père est un homme assez dur et je suppose qu'elle ne s'est pas senti le courage d'affronter sa colère.

Il se tut un instant avant de conclure :

— C'est ce qui bouleverse Dolly à ce point.

— Où s'est-elle noyée ?

— Dans la rivière. Juste après le moulin, là où le courant est assez fort. Il y a un sentier qui suit l'eau et un pont. On suppose qu'elle a sauté depuis le pont. Ma parole, je préfère ne pas y penser.

Et le colonel Bantry pour distraire son esprit de ce sujet pénible ouvrit son journal d'un geste brusque et commença à l'éplucher méthodiquement pour y découvrir les toutes dernières iniquités du gouvernement.

La tragédie villageoise laissait par contre sir Henry assez indifférent. Lorsqu'il eut terminé son petit déjeuner, il alla s'installer dans une des confortables chaises-longues disséminées sur la pelouse, tira son chapeau sur ses yeux et se perdit dans une rêverie paisible.

Il était environ onze heures et demie lorsqu'une femme de chambre s'approcha discrètement de lui.

— Pardon, sir, murmura-t-elle. Miss Marple vient d'arriver et désirerait vous voir.

— Miss Marple ?...

Sir Henry se redressa et releva d'une pichenette le chapeau sur son front. Le nom le surprenait. Il se souvenait très bien de Miss Marple, de ses manières charmantes de vieille demoiselle tranquille, de sa surprenante perspicacité. Il se remémorait une bonne douzaine d'affaires, demeurées incompréhensibles pour les spécialistes, que cette personne, le type même de la vieille fille de campagne, avait débrouillées sans bruit et dont elle avait chaque fois découvert infailliblement la solution exacte. Sir Henry éprouvait un très grand respect pour Miss Marple et en se dirigeant à grandes enjambées vers la maison il se demandait ce qui l'avait incitée à venir le voir.

Miss Marple, très droite comme toujours, était assise dans le salon, un charmant panier à provisions, aux couleurs vives, acheté à l'étranger sans aucun doute, posé à côté d'elle sur le tapis. Elle paraissait un peu fébrile et ses joues étaient roses d'excitation. Elle se mit à parler un peu vite dès que sir Henry Clithening entra.

— Sir Henry, je suis si, si heureuse de vous revoir... Je viens juste d'apprendre votre présence chez nos amis... et j'espère que vous me pardonnerez...

— C'est au contraire un grand plaisir pour moi, dit sir Henry en s'inclinant respectueusement sur la main qu'elle lui tendait. Je crains que Mrs Bantry soit sortie...

— Je sais... Je l'ai vue qui parlait à Footit, le boucher, au moment où je passais. Henry Footit était dans tous ses états hier à cause de son chien. Un de ces fox-terriers à poil dur, querelleurs et intrépides que les bouchers semblent beaucoup affectionner.

— C'est vrai, répliqua sir Henry avec bienveillance.

— Je suis contente d'être venue pendant qu'elle n'était pas là, continuait Miss Marple. Parce que c'était vous que je voulais voir. A cause de cette triste affaire.

— Henry Footit ? demanda sir Henry légèrement déconcerté.

Miss Marple lui lança un regard chargé de reproches.

— Non, non. Je faisais allusion à Rose

Emmott, bien sûr. Vous êtes au courant ?

Sir Henry inclina la tête.

— Bantry m'a raconté. Très triste effectivement.

Il était quelque peu perplexe. Il ne voyait pas pourquoi Miss Marple voulait le voir à propos de Rose Emmott.

Miss Marple s'adossa un peu à son fauteuil et sir Henry resté jusque là debout, s'assit non loin d'elle. Lorsque la vieille demoiselle reprit la parole sa voix était grave, solennelle presque.

— Vous vous souvenez, sans doute, sir Henry, qu'en une ou deux occasions nous avons joué ici même à un jeu très amusant : l'un ou l'autre exposait une affaire mystérieuse et chacun proposait ensuite sa solution. Vous aviez été assez bon pour me dire... que je n'étais pas trop mauvaise.

— Vous nous avez tous battus, voulez-vous dire, s'écria chaleureusement sir Henry. Vous avez fait montre d'un véritable génie pour découvrir la vérité. Et je me souviens que vous citiez toujours quelque histoire analogue survenue au village qui vous avait mise, disiez-vous, sur la piste.

Il souriait en parlant, mais Miss Marple restait au contraire très grave.

— Ce que vous voulez bien rappeler m'a donné le courage de venir vous trouver aujourd'hui. Je sais que si je vous dis quelque chose... eh bien, vous, au moins, vous ne rirez pas de moi.

Il comprit alors qu'elle était très troublée.

— Je ne rirai certainement pas, dit-il avec bienveillance.

— Sir Henry... cette jeune fille... Rose Emmott... Elle ne s'est pas noyée... Elle a été tuée... Et je sais qui l'a tuée...

Pendant trois secondes sir Henry resta muet, plongé dans le plus complet ébahissement. La voix de Miss Marple n'avait pas eu un frémissement comme si la vieille demoiselle énonçait la chose la plus naturelle du monde.

— Mais ce que vous venez d'affirmer est très grave, Miss Marple, s'écria-t-il lorsqu'il eut retrouvé ses esprits.

Elle inclina légèrement la tête à plusieurs reprises.

— Je sais... Je sais... C'est pourquoi je suis venue vous trouver.

— Très aimable à vous. Seulement, ma chère demoiselle, ce n'est pas moi qu'il faut aller trouver. Aujourd'hui je suis redevenu un simple particulier. Il faut que vous alliez à la police raconter tout ce que vous savez.

— Je ne crois pas que je le puisse, répliqua Miss Marple.

— Pourquoi donc ?

— Parce que, voyez-vous, je n'ai aucune... Comment dites-vous ça ?... Oui, aucune *certitude*.

— Vous voulez dire alors que vous en
avez l'intuition ?

— Vous pouvez l'appeler ainsi, si vous
voulez, mais ce n'est pas du tout ça au fond.
Je *sais*. Je suis en mesure de savoir, voilà ;
mais si j'indique les raisons qui font que je
sais à l'inspecteur · Drewitt, eh bien, il
m'éclatera tout simplement de rire au nez.
Et vraiment je ne crois pas que je pourrais
l'en blâmer. C'est très difficile de comprendre
ce que vous appelleriez une connaissance
spécialisée.

— Par exemple ? interrogea sir Henry
involontairement amusé.

— Si je vous disais que je sais à cause
d'un homme qui s'appelait Peasegood et qui
donna des navets à la place de carottes à ma
nièce lorsqu'il faisait une tournée en voiture
et vendait des légumes il y a plusieurs
années...

Elle se tut au milieu d'un silence éloquent.

— Un nom fait sur mesure pour son
commerce (1), murmura sir Henry d'un ton
pensif avant de poursuivre en regardant

(1) Bon pois.

attentivement Miss Marple : « Vous voulez dire, en somme, que vous jugez simplement en vous appuyant sur une situation analogue. »

— Je connais la nature humaine, avoua Miss Marple. On ne peut faire autrement que de la connaître lorsque l'on vit dans un village depuis si longtemps. La question est de savoir si, vous, vous me croyez ou pas ?

Elle le fixait droit dans les yeux, tranquillement sans ciller. Ses joues étaient un peu plus roses que de coutume. C'était tout.

Sir Henry était un homme qui avait une grande expérience de la vie. Il prenait ses décisions toujours rapidement sans tergiverser. Pour aussi fantastique et invraisemblable que soit la déclaration de Miss Marple, il savait déjà qu'il l'acceptait.

— Je vous crois, Miss Marple, affirma-t-il d'une voix forte. Mais je ne vois pas ce que je viens faire là-dedans et pourquoi vous vous adressez à moi.

— J'ai beaucoup réfléchi à la question, sir Henry. A mon avis, il serait inutile d'aller trouver la police sans faits précis. Or je n'en ai pas. Ce que je voulais vous demander c'était de vous intéresser vous-même à l'affaire... L'inspecteur Drewitt serait très flatté, j'en suis sûre. Et, bien entendu, si les choses vont plus loin, le colonel Melchett, le commissaire principal, serait comme une cire molle entre vos doigts.

Elle le regardait d'un air suppliant.

— Et quels éléments m'apportez-vous pour me permettre de travailler dans le sens que vous pensez ?

— Je me proposais d'écrire un nom, *le* nom, sur un papier et de vous le donner. Puis si, au cours de l'enquête vous décidez que le... la *personne*... n'est pour rien dans ce qui est arrivé... eh bien ce sera la preuve que je me suis tout à fait trompée.

Elle se tut un instant puis ajouta en réprimant un léger frisson :

— Ce serait si terrible... Vraiment si terrible si un innocent était pendu.

— Pourquoi diantre..., s'écria sir Henry en sursautant.

Miss Marple leva vers lui un visage angoissé.

— Je peux commettre une erreur... quoique je ne le crois pas. Voyez-vous, l'inspecteur Drewitt est vraiment un homme intelligent. Mais les intelligences moyennes sont, quelquefois, très dangereuses. Elles ne permettent pas de considérer les choses d'assez haut.

Sir Henry l'observait avec curiosité.

Ouvrant son réticule d'une main un peu nerveuse, Miss Marple en sortit un petit carnet, déchira un feuillet, écrivit avec application un nom, le plia en deux et le tendit à sir Henry.

Celui-ci s'empressa de l'ouvrir et lut un nom qui ne lui dit rien du tout, mais il haussa un peu les sourcils, étonné. Jetant un coup d'œil vers Miss Marple, il replia le papier et le mit dans son gousset.

— Très bien, très bien, murmura-t-il. Une histoire assez extraordinaire, me semble-t-il, comme je n'en ai encore jamais rencontrée.

Sir Henry, le colonel Melchett et l'inspecteur Drewitt tenaient une petite conférence au poste de police de St. Mary Mead.

Le commissaire principal était un petit homme à l'allure outrageusement militaire tandis que l'inspecteur Drewitt était grand, gros et plein de bon sens.

— Je ne sais vraiment pas pourquoi je mets l'ongle de mon petit doigt là-dedans, disait sir Henry Clithening le visage éclairé de son habituel sourire bienveillant. Je suis incapable de vous dire pourquoi je le fais. (Strictement exact, pensait-il).

— Mon cher, nous sommes enchantés de vous avoir. C'est un grand honneur pour nous.

— Très honorés, sir Henry, appuya Drewitt.

Le commissaire principal pensait : le pauvre diable s'ennuie à mourir chez les Bantry,
entre le vieux qui passe son temps à grognei
contre le gouvernement et elle qui jacasse
comme une pie borgne.

Et de son côté l'inspecteur regrettait de
n'être pas aux prises avec un vrai problème.
« Avoir la chance d'être aidé par un des
meilleurs cerveaux d'Angleterre d'après ce
que j'ai entendu dire et ne pouvoir lui offrir
qu'une affaire aussi simple ! »

Le commissaire de police exprima tout
haut le regret de l'inspecteur.

— Je crains que ce ne soit qu'une histoire
sordide et sans surprise. Tout d'abord nous
avons pensé que cette fille s'était suicidée.
Elle attendait un enfant, vous comprenez.
Mais notre médecin, le docteur Haydock,
est un homme très méticuleux et il a remarqué des meurtrissures sur les bras — sur le
gras des bras exactement. Elles ont été
faites avant la mort. Juste à l'endroit où un
type aurait pu la saisir pour la faire bas-
culer.

— Est-ce que cela demandait beaucoup
de force ?

— Je ne pense pas. Il n'y a pas eu lutte...
La fille ne s'y attendait certainement pas.
Elle était sur une passerelle en bois glissant
et c'est la chose la plus facile du monde que

de précipiter quelqu'un dans la rivière par surprise à cet endroit : il n'y a pas de garde-fou.

— Vous êtes certain que la tragédie s'est déroulée là ?

— Oui. Nous avons trouvé un gamin d'une douzaine d'années, Jimmy Brown, qui était dans le bois de l'autre côté de l'eau. Il a cru entendre un cri perçant du côté du pont et aussitôt après un plouf. Il faisait sombre, vous savez, et il était donc difficile de distinguer quelque chose. Cependant le gosse a aperçu très vite une chose claire qui flottait sur l'eau. Il a pris alors ses jambes à son cou et il a appelé au secours. On a repêché rapidement la fille, mais il n'a pas été possible de la ranimer.

Sir Henry hocha la tête.

— Le garçon n'a vu personne sur le pont ?

— Non. Mais comme je vous l'ai dit, il faisait sombre, il y a toujours un peu de brouillard au-dessus de l'eau et sous les arbres de ce côté-là. Je l'ai questionné pour savoir s'il n'avait vraiment vu personne juste avant ou juste après sur le pont. Il est formel : non. D'ailleurs, il est convaincu comme tout le monde l'a cru sur le coup qu'elle s'est volontairement jetée à l'eau.

— On l'a cru jusqu'à la minute où nous

avons découvert le papier, expliqua Drewitt
en se tournant vers sir Henry.

— Oui, nous l'avons découvert dans la
poche de la morte. Il était écrit avec une
sorte de crayon gras comme en utilisent les
artistes et, tout trempé qu'il était, nous
sommes parvenus à le déchiffrer quand
même.

— Et qu'est-ce qu'il y avait dessus ?

— Oh, c'était très court : « D'accord. Je
te retrouverai sur le pont à 20 h. 30. » Et
c'était signé : R.S., les initiales du jeune
Sandford. Or c'est quelques minutes après
20 h. 30 que le petit Brown a entendu le cri
et le plouf dans l'eau.

— Avez-vous eu l'occasion de rencontrer
ce Sandford ? intervint le colonel Melchett.
Il est revenu ici depuis un mois environ.
C'est un de ces jeunes architectes nouvelle
école. Il construit une maison pour les
Allington. Dieu sait à quoi elle ressemblera
et comment elle sera meublée : une table de
salle à manger à dessus de verre et des
chaises de clinique en tube d'acier et toile
de sangle... Bon, ça ne me regarde pas, mais
ça montre le genre de type qu'est ce Sandford : une espèce de révolutionnaire... Un
bonhomme sans morale ni moralité.

— La séduction, réfléchit tout haut sir
Henry d'une voix rêveuse, est un vieux

crime, bien établi qu'elle ne remonte pas naturellement aussi loin que le meurtre.

Le colonel Merchett regarda fixement son ami.

— Parfaitement, parfaitement, mon cher, bougonna-t-il.

L'inspecteur fit alors entendre sa voix.

— A mon avis, sir Henry, c'est une vilaine histoire mais tout de même très simple. Le jeune Sandford met la petite à mal. Ensuite, pour s'en débarrasser, il retourne à Londres où il retrouve une jeune fille, une charmante jeune fille, avec qui il est fiancé. Il est évident que si elle venait à apprendre ce qui s'est passé ici tous les projets du garçon seraient balayés. Alors il donne rendez-vous à Rose près du pont, il l'attrape par derrière au moment où elle s'y attend le moins et, hop, d'une poussée l'envoie dans la rivière... Un fameux salaud qui mérite bien ce qui lui arrivera... Voilà, à mon sens, toute l'affaire.

Sir Henry resta silencieux une minute ou deux. Il sentait qu'il y avait à priori un préjugé défavorable dans le pays contre ce jeune homme aux idées d'avant-garde. Un novateur ne pouvait être populaire dans le village conservateur de St. Mary Mead.

— Je suppose, dit-il enfin, qu'il n'y a pas

de doute à avoir : ce Sandford est bien le père de l'enfant qui devait naître ?

— Absolument, répliqua Drewitt. Elle ne s'en cachait pas, pas plus que son père au surplus. Elle croyait qu'il allait l'épouser. L'épouser, lui! Ah, là, là!

— Seigneur! réfléchissait sir Henry en écoutant le brave inspecteur. J'ai l'impression d'être tombé en plein mélodrame victorien : la jeune fille ignorante, le mauvais garçon venu de Londres, le père noble outragé, la trahison. Il ne manque que l'amoureux villageois aveuglément fidèle. Eh bien, il me semble qu'il serait temps de m'inquiéter de lui.

Et tout haut, il demanda :

— Cette jeune fille n'avait-elle pas quelque garçon qui la regardait avec complaisance dans le pays?

— Vous voulez parler de Joe Ellis? dit l'inspecteur. Un bon type, Joe. Charpentier de son état. Ah, si elle s'était attachée à Joe...

Le colonel Melchett donnait de petits signes d'assentiment.

— Il ne faut pas vouloir sortir de son milieu, grogna-t-il d'une voix revêche.

— Comment ce Joe Ellis avait-il pris l'aventure de sa belle? questionna sir Henry.

— Personne ne l'a su, répondit l'inspec-

teur. Joe est un garçon tranquille. Secret
même. Tout ce que faisait Rose était magnifique à ses yeux. Elle l'enroulait autour de
son petit doigt comme une crêpe et il se bor-
nait à espérer, je crois, que quelque jour
elle lui reviendrait.

— J'aimerais le rencontrer, dit sir Henry.

— Très facile. Nous allons aller le voir,
répondit le colonel Melchett en se levant.
Nous ne devons rien négliger. Je pensais
moi-même que nous pourrions d'abord inter-
roger Emmott, puis Sandford et enfin Ellis.
Cela vous convient-il, Clithening ?

Sir Henry répondit que cela lui convenait
admirablement.

Ils trouvèrent Tom Emmott au « Sanglier
Bleu ». C'était un grand et gros homme
d'une cinquantaine d'années au masque
bestial et à l'œil fuyant.

— Heureux de vous voir, messieurs...
Bonjour, Colonel. Entrez ici, nous serons
tranquilles. Puis-je vous offrir quelque chose,
messieurs ?.. Non ?.. Comme il vous plaira...
Vous venez à cause de ma pauvre fille ? Ah !..
C'était une bonne petite, Rose... Elle a toujours été une bonne petite... jusqu'à ce que
ce sacré cochon... — Faites excuse, mais ce
n'est pas autre chose ce garçon —, bref jusqu'à ce qu'il vienne chez nous. Il lui avait
promis le mariage. Mais je lui ferai un pro-

cès! La précipiter dans l'eau, la pauvre!..
Cochon meurtrier... Déshonorer notre famille! Ma pauvre gosse...

— La petite vous avait expressément dit
que Mr Sandford était le responsable de son
état? questionna Melchett d'un ton tran-
chant.

— Parfaitement. Ici même.

— Et qu'est-ce que vous lui avez dit?
demanda doucement sir Henry.

— A elle?

— Oui. Vous ne l'avez pas menacée, par
exemple, de la jeter dehors?

— J'ai été un peu secoué sur le coup...
C'est assez naturel, hein? Je suis sûr que
vous êtes d'accord avec moi là-dessus. Mais
je n'ai pas parlé de la mettre dehors, bien
sûr que non. Je n'aurais jamais fait une
chose pareille. (Il simulait une vertueuse
indignation). Non tout ce que j'ai dit, c'est
qu'il devait réparer, sinon il aurait affaire
à moi et à la justice. Par Dieu, j'ai dit : Il
faudra qu'il casque s'il ne répare pas.

Il abattit son énorme poing sur la
table.

— Quand avez-vous vu votre fille pour
la dernière fois? demanda le commissaire.

— Hier. Pour le thé.

— Comment vous a-t-elle semblé alors?

— Bien... Comme toujours. Je n'ai rien remarqué. Si j'avais su...

— Mais vous ne saviez pas, commenta sèchement l'inspecteur.

Et, sans un mot de plus, les trois hommes se levèrent d'un commun accord et s'en allèrent.

— Cet Emmott ne me fait pas une impression très favorable, murmura pensivement sir Henry après qu'ils eurent fait quelques pas en silence dans la rue.

— C'est un coquin et il aurait drôlement fait chanter Sandford s'il en avait eu l'occasion.

Leur seconde visite fut pour l'architecte. Rex Sandford ne ressemblait pas du tout à l'image que sir Henry s'était faite de lui. Beau garçon, grand et mince aux yeux bleus rêveurs, ses cheveux mal coiffés étaient un peu trop longs et il avait une voix un peu efféminée.

Le colonel Melchett fit les présentations puis, en venant sans attendre à l'objet de sa visite, il invita le jeune architecte à faire une déclaration sur ses faits et gestes du soir précédent.

— Comprenez bien que je n'ai pas pour le moment le droit de vous obliger à parler et que tout ce que vous direz pourra être retenu contre vous. Je désire que vous vous en rendiez bien compte.

— Je... Je ne comprends pas, murmura l'architecte.

— Vous avez quand même compris que Rose Emmott s'est noyée la nuit dernière ?

— Oh, c'est affreux, affreux vraiment. Je n'ai pas fermé l'œil de la nuit et je n'ai pu rien faire de la journée. Je me sens responsable, terriblement responsable.

Il passa ses deux mains dans ses cheveux et se décoiffa un peu plus.

— Je n'ai jamais eu de mauvaises intentions, poursuivit-il piteusement. Je n'aurais jamais cru, jamais imaginé qu'elle prendrait les choses comme ça.

Il s'assit devant une table et enfouit sa tête dans ses mains.

— Dois-je comprendre que vous refusez de nous dire où vous étiez hier soir à huit heures et demie ?

— Non, non, certainement pas... J'étais dehors. J'étais allé faire une promenade.

— Vous aviez rendez-vous avec Miss Emmott ?

— Non. Je suis sorti seul. Pour une longue marche. Dans les bois.

— Alors comment expliquez-vous ce papier trouvé dans la poche de la morte.

Et l'inspecteur Drewitt lut le billet d'une voix froide.

— Niez-vous avoir écrit ces deux lignes, Mr Sandford ?

— No... non. Vous avez raison. C'est bien moi qui l'ai écrit. Rose m'avait demandé de la rencontrer. Je ne savais que faire. Et j'ai écrit ce mot.

— Ah, voilà qui est mieux, dit l'inspecteur d'un air satisfait.

— Mais je n'y suis pas allé, protesta l'architecte d'une voix aiguë. Je n'y suis pas allé. J'ai senti qu'il valait mieux que je ne la voie pas. J'avais l'intention de lui écrire de Londres et de... de prendre des dispositions.

— Vous saviez qu'elle attendait un enfant dont elle vous accusait d'être le père ?

Sandford poussa un soupir mais ne répondit pas.

— Était-ce exact ? insista Drewitt.

— Je le suppose, répondit-il d'une voix sourde.

— Ah ! (L'inspecteur ne dissimulait plus sa satisfaction).

Revenons maintenant à votre « promenade ». Quelqu'un vous a-t-il vu ?

— Je ne le sais pas. Je ne le pense pas. Pour autant que je puisse m'en souvenir, je n'ai rencontré personne.

— C'est bien regrettable pour vous.

— Que voulez-vous dire ? Sandford regardait l'inspecteur avec des yeux éberlués. Qu'est-ce que cela peut faire que j'ai été dehors pour une promenade ou non ? Qu'est-ce que cela change au fait que Rose s'est noyée ?

— Tout, s'écria triomphalement l'inspecteur, car figurez-vous qu'elle ne s'est pas noyée, Mr Sandford, mais qu'on l'a noyée délibérément !

— Elle...(Il fallut une minute ou deux au petit architecte pour réaliser l'horreur de la chose). Seigneur ! Mais alors...

Il se tassa sur sa chaise, assommé.

Le colonel Melchett fit un mouvement pour se lever.

— Vous comprenez maintenant, Sandford, dit-il d'un ton rogue. Il n'est pas question que vous quittiez cette maison, n'est-ce pas ?

Sur cette menace à peine déguisée, les trois hommes sortirent. L'inspecteur et le commissaire se consultèrent du regard :

— C'est suffisant, n'est-ce pas, monsieur ? dit l'inspecteur.

— Oui. Il n'y a plus qu'à établir un mandat et à l'arrêter.

Sir Henry poussa une exclamation étouffée.

— Excusez-moi. Je m'aperçois que j'ai oublié mes gants.

Il revint sur ses pas rapidement et rentra

dans la maison. Sandford n'avait pas bougé : il était prostré et regardait d'un air stupide devant lui.

— Je suis revenu, commença sir Henry, pour vous dire que moi, personnellement, je suis désireux de faire tout mon possible pour vous aider. Je n'ai pas le droit de vous révéler la raison de l'intérêt que je vous porte, mais je voudrais que vous me racontiez aussi brièvement que possible ce qui s'est passé exactement entre vous et cette petite Rose.

— Elle était très jolie, voyez-vous. Très jolie et très séduisante. Et... elle m'a couru après. Devant Dieu, c'est vrai. Elle ne me laissait pas tranquille. Je me sentais assez seul dans ce village où tout le monde me battait froid et, comme elle était diablement jolie et qu'elle paraissait au courant de tout ça — vous comprenez ? — (Sa voix mourut. Il leva les yeux vers sir Henry impassible, toussota, gêné, et poursuivit). Et puis, c'est arrivé et elle voulait que je l'épouse. Je ne savais plus que faire. Je suis fiancé à une jeune fille de Londres. Si jamais elle apprenait cette histoire, ce serait fini entre nous. Elle ne comprendrait pas. D'ailleurs comment le pourrait-elle ? Et je me suis comporté comme un sale type avec Rose par lâcheté. Je l'ai fuie... Comme je l'ai expliqué tout à l'heure, je pensais retourner à Londres, voir mon avocat, lui faire proposer une somme, n'importe quoi, est-ce que je sais, moi?... Seigneur, quel idiot j'ai été!.. Et à présent, tout est si clair... Contre moi. Mais ils doivent se tromper. Pourquoi ne se serait-elle pas suicidée?...

— Avait-elle jamais menacé de se tuer? Sandford secoua la tête.

— Jamais. A mon avis, ce n'était pas son genre.

— Qu'est-ce que vous savez sur un certain Joe Ellis?

— Le charpentier? Un honnête garçon du pays, un peu borné, mais amoureux fou de Rose.

— N'était-il pas jaloux? questionna sir Henry.

— Je suppose qu'il l'était un peu... mais il est du type bovin et il devait souffrir en silence.

— Eh bien, merci. Je dois vous quitter à présent.

Et sir Henry rejoignit ses compagnons.

— Vous savez, Melchett, dit-il. J'ai l'impression qu'il faut voir cet autre type, Ellis, avant de rien entreprendre de définitif. Il serait malheureux de procéder à une arrestation qui se révélerait bientôt comme une erreur. Après tout, la jalousie est un excellent motif pour tuer... et un motif très courant aussi.

— C'est assez vrai, admit l'inspecteur. Mais Joe Ellis n'est pas de cette espèce. Il ne ferait pas de mal à une mouche. Ma foi, je crois qu'on ne l'a jamais vu en colère. Mais enfin, je suis bien d'avis aussi qu'il vaut mieux aller lui demander où il était la nuit dernière. Il doit être chez lui à cette heure-ci. Il habite chez Mrs Bartlett, une brave femme veuve, qui lave un peu pour les uns et les autres.

Le petit cottage vers lequel ils dirigèrent leurs pas était d'une propreté méticuleuse. Une grande et grosse femme entre deux âges au visage agréable, éclairé d'yeux bleus très clairs, leur ouvrit la porte.

— Bonjour Mrs Bartlett, dit l'inspecteur. Est-ce que Joe Ellis est là ?

— Il est revenu il n'y a pas plus de dix minutes, répondit Mrs Bartlett, mais entrez donc, je vous prie, messieurs.

Elle les introduisit en s'essuyant les mains à son tablier dans un salon minuscule encombré d'oiseaux empaillés, de chiens en porcelaine et de divers autres objets inutiles et se précipita pour leur avancer des sièges. Après avoir déplacé une table basse, elle sortit en hâte et appela du seuil de la pièce :

— Joe, il y a trois messieurs qui désirent vous voir.

Une voix d'homme répondit du fond de la maison :

— J'arrive dès que je me serai lavé les mains.

Mrs Bartlett sourit avec satisfaction.

— Entrez, Mrs Bartlett, et asseyez-vous, dit le colonel Melchett.

— Oh, non, monsieur. Je n'oserai jamais !

L'idée de s'asseoir dans son propre salon à côté de ses visiteurs choquait Mrs Bartlett et le colonel n'insista pas.

— Joe Ellis est-il un bon locataire ? questionna-t-il d'une voix apparemment indifférente.

— Il n'en existe pas de meilleur. Un garçon vraiment très tranquille. Jamais il ne boit une goutte de trop. Il a l'amour de son travail. Et dans la maison il cherche toujours à rendre service. C'est lui qui m'a posé ces étagères et il vient de m'en installer aussi à la cuisine. Et les mille petites choses qu'il fait dans la maison c'est toujours de bon cœur et c'est à peine s'il accepte qu'on lui dise merci. Ah, monsieur, il n'y a plus beaucoup de jeunes gens comme lui de nos jours !

— La fille qui le rencontrera tirera un bon numéro, observa Melchett avec jovialité. N'avait-il pas un béguin pour cette pauvre Rose Emmott ?

Mrs Bartlett soupira.

— Ça me faisait mal. Il adorait la trace de ses pas alors qu'elle se moquait complétement de lui.

— Où Joe passe-t-il ses soirées, Mrs Bartlett ?

— Ici, monsieur, d'habitude. Quelquefois il bricole pour les uns ou les autres en supplément, ou bien il étudie la comptabilité en suivant des cours par correspondance.

— Ah ! vraiment. Il était là hier soir ?

— Oui, monsieur.

— Vous en êtes certaine Mrs Bartlett ? intervint sèchement sir Henry.

Elle se tourna vers lui.

— Tout à fait certaine, monsieur.

— Il n'est pas sorti à environ huit heures trente, par exemple ?

Mrs Bartlett eut un bon rire.

— Pas du tout. Il a terminé les étagères pour la cuisine et je l'ai aidé à les mettre en place. Ça nous a occupés presque toute la soirée.

Sir Henry regardait son visage calme et souriant et, pour la première fois un doute l'effleura.

Un instant plus tard Joe Ellis entrait dans le salon.

Grand, large d'épaules, des yeux bleus timides, un doux sourire flottant sur les lèvres, Joe Ellis était le type du géant mal dégrossi, débonnaire et bon enfant.

Mrs Bartlett s'éclipsa discrètement et Melchett posa sa première question.

— Nous enquêtons sur la mort de Rose Emmott. Vous la connaissiez, Ellis ?

— Oui. Il hésita, puis murmura : j'espérais l'épouser un jour. Pauvre Rose...

— Vous étiez au courant de son état ?

— Oui. Un éclat de colère passa dans ses yeux. Il l'avait laissé tomber. Mais c'était mieux. Elle n'aurait pas été heureuse si elle l'avait épousé. Je comptais qu'elle se tournerait vers moi quand c'est arrivé. Je me serais occupé d'elle.

— En dépit de...

— Ce n'était pas sa faute. Il lui avait tourné la tête avec de belles promesses et tout. Oh! elle m'avait tout dit. Elle n'avait pas envie de se noyer pour sûr. Il n'en valait pas la peine.

— Où étiez-vous, Ellis, la nuit dernière à huit heures et demie ?

Sir Henry se demanda si c'était une idée ou s'il y avait vraiment une ombre de gêne dans la réponse rapide, presque trop rapide d'Ellis.

— J'étais ici occupé à arranger un machin

à la cuisine pour Mrs Bartlett. Demandez-le lui. Elle vous le dira.

« Il a parlé trop vite, pensa sir Henry. C'est un homme lent qui pense lentement. Or il a répondu avec tant d'assurance que je le soupçonne d'avoir préparé sa réponse à l'avance. Et puis, non, se gourmanda-t-il en accusant son imagination. Il imaginait des choses... Oui, même cette lueur d'inquiétude dans ses yeux bleus. »

Les policiers posèrent encore quelques questions. Joe leur répondit et puis les trois hommes sortirent, mais sir Henry trouva une excuse pour faire un crochet par la cuisine. Mrs Bartlett s'affairait devant le fourneau et elle se retourna en lui adressant un aimable sourire. Des étagères neuves étaient bien fixées au mur; la pose n'était même pas complètement terminée et il y avait encore par terre quelques outils et des bouts de bois.

— C'est à ça que s'est occupé Ellis hier soir, n'est-ce pas? Mais, ma parole, il est diantrement adroit, ce Joe!

Dans les yeux de la femme il n'y avait ni appréhension ni embarras.

Mais avait-il imaginé la peur qu'il avait décelée dans ceux d'Ellis? Certainement non. Il était passé une ombre dans le regard de ce garçon. « Il faut que j'y arrive » pensa-t-il encore.

Faisant demi-tour pour sortir de la cuisine il se heurta à une voiture d'enfant.

— J'espère que je n'aurai pas réveillé le bébé, dit-il.

Le rire de Mrs Bartlett éclata joyeux.

— Oh, non, monsieur! Je n'ai pas d'enfants... et c'est bien dommage. Je me sers de cette voiture pour rapporter le linge.

— Ah, je vois...

Il s'interrompit puis, obéissant à une impulsion, revint sur ses pas et demanda :

— Mrs Bartlett, vous connaissiez Rose Emmott. Donnez-moi franchement votre opinion sur elle.

Elle le regarda avec curiosité.

— Eh bien, monsieur, elle était légère. Mais elle est morte et je n'aime pas mal parler des morts.

— Mais j'ai une raison, une très bonne raison pour vous demander cela.

Sir Henry Clithening avait parlé d'un ton persuasif et la femme sembla peser le pour et le contre. Elle scruta le visage de son interlocuteur puis elle se décida.

— Elle ne valait pas cher, monsieur, dit-elle tranquillement. Je ne voudrais pas le dire devant Joe. Elle avait complètement coiffé le pauvre garçon. Ce genre de femme sait y faire que c'en est une honte. Vous savez bien ce que c'est, monsieur.

Oui, sir Henry savait. Tous les Joe Ellis du monde étaient particulièrement vulnérables. Ils étaient aveuglément confiants. Mais justement à cause de cela le choc consécutif à la découverte d'une trahison pouvait être particulièrement violent.

Il quitta le cottage dérouté et perplexe. Il se heurtait à un mur : Joe Ellis avait travaillé à la maison la veille toute la soirée et Mrs Bartlett était restée à ses côtés. Que dire ? Quel démenti opposer aux faits ? Il n'y avait vraiment rien à relever sauf peut-être la promptitude avec laquelle Joe Ellis avait répondu comme s'il récitait une leçon apprise.

— Eh bien, remarqua Melchett, il semble que c'est très clair.

— Tout à fait clair, approuva l'inspecteur. Sandford est notre homme. Il ne peut pas se tirer d'affaire. C'est clair comme le jour. A mon avis, le père et la fille étaient décidés à le faire chanter. Il n'avait pas l'argent nécessaire pour les faire taire, il ne voulait pas que cette histoire idiote revienne aux oreilles de sa fiancée, il était désespéré et il a agi en conséquence. Qu'est-ce que vous en pensez, monsieur ? ajouta-t-il en s'adressant avec déférence à sir Henry.

— C'est vraisemblable, admit à regret l'ancien fonctionnaire du Yard. Et pourtant, voyez-vous, il y a quelque chose qui m'ennuie : je n'arrive pas à me représenter Sandford en train d'accomplir un geste violent quelconque.

Mais il savait bien, tout en parlant, que son objection ne valait pas grand-chose, tant il vrai que lorsqu'on le pousse à bout l'animal le plus doux est capable des actions les plus stupéfiantes.

— J'aimerais voir le garçon aussi, dit-il soudain. Celui qui a entendu crier.

Jimmy Brown, un gamin plutôt petit pour son âge mais à l'air malin et éveillé, n'eut pas de mal à prouver qu'il était intelligent. Il était impatient d'être questionné et il parut assez désappointé lorsqu'on interrompit le récit dramatique, déjà soigneusement mis au point, du drame de la veille.

— Tu étais de l'autre côté du pont si je comprends bien, dit sir Henry. Tu venais du village et tu l'as traversé ce pont, nous sommes bien d'accord ? As-tu vu quelqu'un en arrivant ?

— Il y avait quelqu'un qui marchait sous les arbres, Mr Sandford, je crois, l'architecte, celui qui bâtit cette drôle de maison.

Les trois hommes échangèrent un coup d'œil.

— Tu l'as aperçu dix minutes avant d'entendre crier ?

Le gamin inclina affirmativement la tête.

— As-tu vu quelqu'un d'autre le long de l'eau du côté du village ?

— Un homme qui suivait lentement le sentier en sifflotant. Ce devait être Joe Ellis.

— Tu ne pouvais pas reconnaître qui c'était, riposta sèchement l'inspecteur. Il y avait du brouillard et il faisait presque nuit.

— C'est ce qu'il sifflait qui me l'a fait reconnaître. Joe Ellis siffle toujours le même air — Je veux être heureux —, le seul qu'il connaisse.

Jimmy Brown avait répondu avec tout le mépris dont un jeune est capable à l'égard d'un croulant obtus.

— N'importe qui peut siffler un refrain, remarqua Melchett. Est-ce qu'il allait vers le pont ?

— Non. De l'autre côté, vers le village.

— Je ne pense pas que nous ayons besoin de nous intéresser à cet inconnu, dit Melchett. Tu as entendu le cri suivi du floc d'un corps tombant dans l'eau puis, quelques minutes plus tard il t'a semblé voir un corps dériver dans le courant et tu t'es élancé pour appeler à l'aide ; tu as retraversé le pont et filé vers le village. A ce moment-là tu n'as vu personne près du pont ?

— Je pense qu'il y avait deux hommes avec une brouette dans le sentier au bord de l'eau. Mais ils étaient assez loin et je ne sais pas s'ils s'en allaient ou s'ils venaient vers le pont, et la maison étant à côté j'y ai couru.

— Tu as très bien fait, mon garçon, dit Melchett. Tu as agi avec beaucoup de présence d'esprit. Je suis sûr que tu es scout?

— Oui, monsieur.

— Parfait, parfait.

Sir Henry restait silencieux et réfléchissait. Il prit une feuille de papier dans sa poche, l'ouvrit, regarda ce qui était écrit dessus et hocha la tête. Cela ne semblait pas possible... et pourtant?

Il décida de rendre visite à Miss Marple.

Elle le reçut dans son joli salon à l'ancienne mode surchargé de meubles et de bibelots précieux.

— Je suis venu vous dire où nous en sommes. Je crains que pour nous les choses n'aillent pas trop bien. Ils vont arrêter Sandford. Et je dois avouer qu'ils semblent avoir raison.

— Vous n'avez rien trouvé qui — comment dire? — étaye ma théorie? (Elle paraissait perplexe et un peu anxieuse). Peut-être me suis-je trompée, entièrement trompée mais vous avez une si grande expérience, sir Henry, qu'il n'est pas possible que vous ne découvriez pas la vérité.

— En premier lieu, répliqua celui-ci, je peux à peine y croire. Et ensuite nous nous heurtons à un alibi parfait : Joe Ellis a passé la soirée à poser des planches dans la cuisine et Mrs Bartlett l'a regardé faire.

Miss Marple tressaillit et se pencha en avant. Elle respira vite avant de parler.

— Mais c'est impossible, s'écria-t-elle. C'était la nuit de vendredi.

— La nuit de vendredi ?

— Oui... La nuit de vendredi. Tous les vendredis dans la soirée Mrs Bartlett rapporte le linge à ses clients.

Sir Henry s'appuya au dossier de son siège. Le récit du gamin lui revenait à l'esprit : l'histoire de l'homme qui sifflotait et... oui... tout collait très bien.

Il se leva et tapota légèrement la main de Miss Marple entre les siennes.

— Je crois que j'y vois un peu plus clair, chère Miss Marple. Je vais essayer de débrouiller l'écheveau.

Cinq minutes plus tard il était de retour dans le cottage de Mrs Bartlett et affrontait Joe Ellis dans le petit salon parmi les chiens en porcelaine.

— Vous nous avez menti, Ellis, au sujet de la nuit dernière. Vous n'étiez pas dans

157

la cuisine occupé à clouer des planches entre huit heures et huit heures et demie. On vous a vu dans le sentier du bord de l'eau près du pont quelques minutes avant que Rose Emmott soit assassinée.

L'homme avala bruyamment sa salive.

— Elle n'a pas été assassinée... Non, ce n'est pas vrai! Elle s'est jetée elle-même dans la rivière. Elle était désespérée. Je n'aurais pas touché un cheveu de sa tête, moi.

— Alors pourquoi avez-vous menti? Pourquoi ne pas avoir dit d'emblée la vérité?

Les yeux du jeune charpentier se dérobèrent et il baissa les paupières avec gêne.

— J'avais peur. Mrs Bartlett m'avait vu de ce côté-là et lorsqu'on nous a dit peu après ce qui venait d'arriver... eh bien elle a pensé que ça pourrait être mauvais pour moi. J'ai décidé de dire que je travaillais ici et elle a été d'accord pour dire comme moi.

Sir Henry ne fit pas de commentaire, abandonna Joe Ellis en compagnie des chiens en porcelaine et des oiseaux empaillés et longea le couloir jusqu'à la cuisine où Mrs Bartlett lavait devant l'évier.

— Mrs Bartlett, lança-t-il, je sais tout. Je pense que vous feriez mieux d'avouer,

à moins que vous ne préfériez que Joe Ellis
soit pendu pour ce qu'il n'a pas fait... Non,
je vois bien que vous ne voulez pas ça.
Alors je vais vous dire, moi-même ce qui
est arrivé. Vous étiez sortie pour livrer le
linge et vous avez croisé Rose Emmott.
Vous aviez cru qu'elle laisserait tomber Joe,
qu'elle partirait avec cet étranger. Mais
voilà qu'elle attend un bébé et Joe est prêt
à voler à son secours, à l'épouser si elle veut
de lui. Or il vit chez vous depuis quatre ans
et vous êtes tombée amoureuse de lui. Vous
vouliez le garder pour vous et vous vous
êtes mise à haïr cette fille... Vous ne pouviez
pas supporter que cette méprisable petite
coureuse vous enlève votre homme, n'est-ce
pas ? Vous l'avez attrapée par derrière, par
le haut des bras et d'un élan vous l'avez
poussée dans la rivière. Quelques minutes
plus tard vous avez rencontré Joe Ellis. Le
petit Jimmy vous a vus ensemble mais dans
l'obscurité et le brouillard il a pris la voiture
d'enfant pour une brouette poussée par deux
hommes. Vous avez persuadé Joe qu'il
pourrait être soupçonné et vous avez imaginé une histoire soi-disant pour lui fournir
un alibi mais, en fait, pour en avoir un, *vous*.
Ai-je raison ou tort ?

Il attendit, retenant son souffle.

Elle se tenait devant lui essuyant posément ses mains à son tablier et prenant en même temps lentement parti de sa défaite.

— C'est exactement ça, dit-elle enfin d'une voix calme, basse (une voix dangereuse, comprit soudain sir Henry). Je ne sais pas ce qui m'a pris. C'était une fille sans pudeur, voilà ce que c'était. Et tout à coup j'ai pensé qu'il n'était pas possible qu'elle m'enlève Joe. Je n'ai pas eu une vie heureuse, monsieur. Mon mari était un pauvre homme, un invalide grincheux. Je l'ai soigné et me suis occupée de lui. Et puis Joe est venu habiter ici. Je ne suis pas une vieille femme en dépit de mes cheveux gris, monsieur. J'ai juste quarante ans. Joe est unique, il n'y en a pas un sur mille comme lui. J'aurais fait n'importe quoi pour lui, n'importe quoi vraiment. Il était comme un petit enfant gentil et crédule. C'était mon bien. Et cette... cette... (Elle eut un sanglot mais domina instantanément son émotion. Même en un pareil moment, elle restait une femme forte. Elle se redressa et posa un regard empreint de curiosité sur sir Henry). Je suis prête à vous suivre, Monsieur. Je n'aurais jamais cru que l'on puisse découvrir la vérité. Je ne comprends pas comment vous y êtes arrivé, Monsieur, vraiment, oui, je me le demande.

Sir Henry hocha doucement la tête.

— Ce n'est pas moi qui ai trouvé, murmura-t-il avec loyauté en pensant à la petite feuille arrachée à un agenda et pliée dans sa poche sur laquelle une main fanée, mais ferme avait tracé d'une belle écriture à l'ancienne mode :

Mrs Bartlett, chez qui Joe habite à Mill-cottage.

Une fois de plus, Miss Marple ne s'était pas trompée.

CHAPITRE XIII

LE GERANIUM BLEU
(THE BLUE GERANIUM)

— Lorsque j'étais ici l'an dernier... commença sir Henry Clithening, et puis il s'arrêta.

Son hôtesse, Mrs Bantry, le regarda avec curiosité.

L'ex-commissaire de Scotland Yard avait été invité par ses vieux amis, le colonel et Mrs Bantry, qui habitaient près de St Mary Mead, à faire un séjour chez eux.

Mrs Bantry, la plume à la main, venait de lui demander quel était, à son avis, le sixième convive qu'elle pourrait prier à dîner pour le soir même.

— Dites-moi, reprit sir Henry, connaissez-vous une certaine Miss Marple ?

Mrs Bantry, surprise, leva les sourcils : c'était la dernière chose à laquelle elle s'attendait.

— Si je connais Miss Marple ? Qui ne la connaît, mon cher ? Le type même de la vieille demoiselle de roman ! Délicieuse, mais absolument hors du temps. Aimeriez-vous que je *lui* demande de venir dîner?

— Cela vous surprend?

— Un peu, je l'avoue. Je n'aurais jamais pensé que vous... mais peut-être y a-t-il une explication?

— L'explication est très simple. Lorsque j'étais ici l'an dernier, nous avions pris l'habitude de nous retrouver à cinq ou six chez cette charmante vieille demoiselle pour discuter des mystères et des crimes inexpliqués. Raymond West, le romancier, était parmi nous. Nous racontions chacun à notre tour une histoire, dont seul le narrateur connaissait la solution. Ce n'était qu'un agréable prétexte pour exercer nos facultés de déduction... pour voir quel était celui qui toucherait la vérité de plus près.

— Et alors?

— Nous n'imaginions pas que Miss Marple participerait à la compétition, mais nous ne la laissâmes pas comprendre pour ne pas froisser les sentiments de la chère créature. Or — et voilà où la plaisanterie devint piquante — ce fut elle qui, chaque fois, trouva la réponse exacte!

— Comment?

— Parfaitement... Elle filait droit sur la vérité comme un pigeon voyageur rentrant au nid.

— Mais c'est extraordinaire!... La chère vieille Miss Marple n'est presque jamais sortie de St Mary Mead.

— Oui. Mais elle dit que cela lui a donné des occasions réitérées d'observer la nature humaine... au microscope en quelque sorte.

— Je suppose qu'il y a quelque chose de vrai là-dedans, admit Mrs Bantry. On peut certainement mieux s'y rendre compte des travers des gens, mais je ne pense pas que nous ayons de véritables criminels parmi nous... Cependant, j'aimerais que nous lui proposions après dîner l'histoire de fantôme d'Arthur et je lui serais bien reconnaissante si elle en trouvait la solution.

— Je ne savais pas qu'Arthur croyait aux fantômes.

— Oh, mais non! Et c'est bien ce qui le tourmente. D'autant que cette histoire est arrivée à un de ses vieux amis, George Pritchard, un homme des plus prosaïques, et qu'elle a été assez tragique pour lui. Ou bien cette histoire est vraie... ou bien...

— Ou bien quoi?

Mrs Bantry ne répondit pas et, une minute ou deux après, elle remarqua sans logique apparente.

— Vous savez, j'aime beaucoup George, tout le monde l'aime... On ne peut pas croire qu'il... Mais il arrive que les gens font des choses tellement bizarres...

Sir Henry hocha la tête. Il savait mieux que Mrs Bantry les choses extraordinaires dont les hommes étaient capables.

Et le soir même, Mrs Bantry posait un regard satisfait sur ses convives encore assis autour de la table. (Ils frissonnaient tous un peu, car la salle à manger comme beaucoup de salles à manger anglaises, était glaciale). Mais son attention fut longuement sollicitée par la vieille dame assise très droite à la droite de son mari. Miss Marple portait des mitaines en dentelle noire, un fichu de dentelle ancienne réchauffait ses épaules et elle avait encore jeté une pointe de dentelle sur ses cheveux blancs. Elle parlait avec animation avec le vieux docteur Lloyd de l'Hospice et des défauts de l'infirmière visiteuse.

Mrs Bantry s'émerveillait à nouveau en se demandant si sir Henry avait voulu leur faire une bonne plaisanterie — mais rien ne semblait l'indiquer — ou si ce qu'il avait raconté au sujet de Miss Marple était vrai, aussi incroyable que cela paraisse.

Le regard de la bonne dame glissa et se posa avec affection sur le visage légèrement congestionné de son mari. Le colonel parlait chevaux à la belle et populaire actrice Jane

Helier, plus belle encore (si c'était possible) à la ville que sur la scène. Jane ouvrait d'immenses yeux bleus et murmurait de temps à autre : « Vraiment? », « Oh, pas possible! » « Comme c'est extraordinaire! ». Elle ne connaissait rien aux chevaux et elle s'en moquait éperdument.

— Arthur! dit Mrs Bantry, vous ennuyez la pauvre Jane. Laissez les chevaux tranquilles et racontez-lui plutôt votre histoire de fantômes. Vous savez... George Pritchard.

— Comment Dolly?... Oh! pardon. Je ne me doutais pas...

— Sir Henry veut aussi l'entendre. Je lui en ai touché quelques mots ce matin, et il serait intéressant aussi d'avoir l'opinion de tous nos amis sur cette affaire.

— Oh, oui, racontez! s'écria Jane. J'adore les histoires de fantômes.

— Euh... toussota le colonel. Il hésitait visiblement. Je n'ai jamais cru au surnaturel, mais j'avoue que cette... Enfin, puisque Dolly pense que cette histoire peut vous intéresser...

Je n'ai pas le sentiment qu'aucun de vous ait eu l'occasion de rencontrer George Pritchard. C'est un homme épatant. Comme il n'y en a pas beaucoup. Sa femme — elle est morte à présent, la pauvre créature — ne lui a pas fait une existence facile, c'est le moins que je puisse dire. C'était une demi-invalide. Je crois qu'elle était vraiment mal portante, mais elle jouait beaucoup de son état de santé précaire pour tourmenter son entourage : elle était capricieuse, exigeante, déraisonnable. Elle se plaignait du matin au soir. George devait toujours être à sa disposition ; tout ce qu'il faisait était mal fait, elle ne cessait de le maudire. Je suis convaincu que beaucoup d'hommes à la place de George lui auraient rapidement fendu le crâne avec une hache. N'ai-je pas raison, Dolly ?

— C'était une femme épouvantable, appuya Mrs Bantry avec conviction. Si George Pritchard l'avait tuée et s'il n'y avait pas eu de femmes dans le jury, il aurait été triomphalement acquitté.

— Je ne sais pas très bien comment toute l'histoire a commencé, George ne me l'ayant jamais très bien expliqué, mais j'ai cru comprendre que Mrs Pritchard avait toujours eu un faible pour les voyantes, diseuses de bonne aventure et autres tireuses de cartes. George n'y voyait pas d'inconvénient, mais il refusa toujours énergiquement de se laisser embrigader dans ce mic-mac et c'était une autre cause de grief pour sa femme.

Les infirmières se succédaient chez eux, Mrs Pritchard ne pouvant plus les supporter au bout de quelques semaines. Seule une jeune infirmière avait trouvé grâce à ses yeux, et pendant un certain temps, elle n'avait juré que par elle. Puis, tout à coup, elle ne put plus la supporter et on la renvoya. Elle en reprit une plus âgée qui s'était occupée d'elle auparavant et qui savait s'y prendre avec les névrosées de sa sorte. Miss Copling, d'après George lui-même, était une femme compétente qui, en outre, ne se laissait pas émouvoir par les colères et les crises nerveuses de Mrs Pritchard.

Mrs Pritchard déjeunait habituellement dans sa chambre tandis que George et l'infirmière déjeunaient à la salle à manger et décidaient de l'organisation de l'après-midi pour ne jamais laisser la malade seule. En principe, l'infirmière était libre de deux à quatre heures, mais « pour rendre service », comme l'on dit, elle prenait ses deux heures après le thé si George avait besoin d'être libre au début de l'après-midi. Un certain jour, elle dit qu'elle devait aller jusqu'à Golders Green pour voir une de ses sœurs et qu'elle rentrerait peut-être un peu plus tard. Le visage de George s'allongea : il avait projeté une partie de golf. Miss Copling le rassurait déjà :

— Notre absence ne sera pas remarquée, Mr Pritchard, dit-elle avec une lueur amusée dans le regard. Mrs Pritchard aura une compagnie beaucoup plus amusante que la nôtre.

— Et qui donc ?

— Patientez une minute, répliqua l'infirmière de plus en plus amusée. Que je ne commette pas d'erreur. Mrs Pritchard attend très exactement : *Zarida, voyante extra-lucide de l'Avenir.*

— Oh! seigneur! soupira George. Encore une nouvelle n'est-ce pas ?

— Oui. Je crois que c'est Miss Carstairs qui était ici avant moi, qui la lui a recommandée. Mrs Pritchard ne l'a jamais vue. Elle m'a chargée de lui écrire pour lui fixer un rendez-vous pour cet après-midi.

— Eh bien, c'est parfait. Là-dessus je vais faire ma partie, dit George qui s'en alla avec un sentiment de reconnaissance pour Zarida, voyante extra-lucide, qui le libérait pour un moment de sa terrible épouse.

A son retour, il trouva Mrs Pritchard très agitée. Elle était comme toujours allongée sur son divan, tenant à la main un flacon de sels qu'elle portait fréquemment à ses narines.

— George, s'écria-t-elle dès qu'il ouvrit

la porte de la chambre, qu'est-ce que je vous
disais au sujet de cette maison! Dès que
j'y suis entrée, *j'ai senti* qu'il y avait quelque chose de mauvais. Vous l'ai-je dit oui
ou non?

Refrénant son envie de répondre : « Oui »,
George répliqua : « Je ne peux pas dire que
je m'en souvienne, ma chère! »

— Vous ne vous souvenez jamais de rien
lorsque ça me concerne! Les hommes ont
tous le cœur extrêmement dur, mais je crois
que vous êtes pire que la plupart de vos
congénères.

— Allons, allons, ma chère Mary, vous
êtes un peu injuste!

— Quoi qu'il en soit, cette femme *a vu*
tout de suite ce que je vous ai dit. Elle...
elle a littéralement blêmi en franchissant le
seuil de cette pièce — si vous voyez ce que
je veux dire — et elle s'est écriée « Je sens
le malheur planer ici dedans. Le malheur
et le danger! »

Très imprudemment, George éclata de
rire.

— Eh bien, vous en avez eu au moins
pour votre argent cet après-midi!

Sa femme ferma les yeux et renifla longuement son flacon de sels.

— Comme vous me détestez! Vous ririez
bien si je mourais.

George protesta et après un instant, elle reprit :

— Vous pouvez rire! Je vous ai pourtant dit la vérité. Cette maison est très dangereuse pour moi... la femme l'a dit, elle aussi.

— Que vous a-t-elle encore raconté?

— Rien d'autre. Elle était tellement bouleversée! Mais en voyant les violettes qui étaient dans un vase, elle les a montrées d'un doigt tremblant et elle a crié :

— Enlevez-les! Enlevez-les! Pas de fleurs bleues. N'ayez jamais de fleurs bleues près de vous. *Les fleurs bleues vous porteront malheur... Souvenez-vous en...* Et rappelez-vous, ajouta Mrs Pritchard, que j'ai toujours détesté le bleu. Cette couleur m'a toujours occasionné une répulsion instinctive.

George s'abstint avec prudence de remarquer que c'était la première fois qu'il entendait parler de la répugnance de sa femme pour le bleu. Il préféra lui demander à quoi ressemblait la mystérieuse Zarida et Mrs Pritchard la lui décrivit avec force détails.

— Elle avait des cheveux noirs enroulés en macarons autour des oreilles... les yeux mi-clos et très cernés... un voile noir dissimulant sa bouche et son menton... Elle parlait d'une voix chantante avec un accent étranger, espagnol il me semble.

— L'habituel boniment, en somme, observa George avec bonne humeur.

Sa femme ferma immédiatement les yeux.

— Je me sens extrêmement mal, murmura-t-elle. Sonnez l'infirmière. La méchanceté me bouleverse comme vous ne le savez que trop bien.

Deux jours plus tard, Miss Copling aborda George avec un visage soucieux.

— Voudriez-vous monter voir Mrs Pritchard ? Elle a reçu une lettre qui l'a mise dans un état affreux.

Il trouva sa femme la lettre encore à la main. Elle la lui tendit.

— Lisez, dit-elle.

George prit la feuille de papier qui était violemment parfumée et couverte d'une haute écriture tracée à l'encre noire et lut :

« *J'ai vu dans l'avenir. Je vous avertis avant qu'il ne soit trop tard. Méfiez-vous de la pleine lune. La primevère bleue signifie Avertissement, la rose trémière bleue Danger, le géranium bleu, Mort...* »

George aperçut à temps le clin d'œil que lui adressait l'infirmière : elle lui fit signe d'être prudent, l'empêchant ainsi d'éclater de rire et il se contenta de dire d'un ton embarrassé : « Cette femme essaye simplement de vous effrayer, Mary. De toute façon, la primevère et le géranium bleus sont assez rares. »

Mais Mrs Pritchard commença à pleurer et dit que ses jours étaient comptés. L'infirmière suivit George sur le palier.

— Quelle stupidité, éclata-t-il.

— Je le suppose aussi, répondit-elle.

Quelque chose le frappa dans le ton de cette fille et il la regarda avec étonnement.

— Vous ne croyez tout de même pas...

— Non, non, Mr Pritchard. Je ne crois évidemment pas à la lecture de l'avenir. Ce qui m'intrigue, c'est la signification de cette histoire. Les diseuses de bonne aventure ne voient d'ordinaire que leur intérêt, alors que cette femme paraît effrayer Mrs Pritchard gratuitement, si je puis dire. Je n'en comprends pas la raison. Et il y a autre chose...

— Quoi donc ?

— Mrs Pritchard dit que cette Zarida lui a vaguement rappelé quelqu'un sans pouvoir préciser sa pensée d'ailleurs.

— Et alors ?

— Et alors, je n'aime pas tout ça, Mr Pritchard.

— Je ne me doutais pas que vous étiez aussi superstitieuse, Miss Copling.

— Je ne suis pas superstitieuse, mais je sais reconnaître une chose louche.

Quatre jours plus tard survenait le premier incident, mais il faut auparavant que je vous décrive la chambre de Mrs Pritchard.

— Mieux vaut que vous me laissiez faire, intervint Mrs Bantry. La pièce était tapissée d'un de ces nouveaux papiers où sont reproduits des bouquets de fleurs, l'ensemble voulant donner l'illusion d'un jardin, quoique ce soit bien impossible, les fleurs n'étant pas toutes épanouies en même temps dans la nature comme on le représente sur les papiers peints.

— Dolly, ma chère, ne laissez pas votre passion pour une horticulture exacte vous entraîner loin de nous. Nous savons tous que vous êtes un jardinier hors ligne.

— Il n'en reste pas moins qu'il est absurde de mettre côte à côte des jacinthes, des narcisses, des lupins, des roses trémières et des pâquerettes.

— Ce n'est certes pas scientifique, approuva sir Henry. Mais pour en revenir à notre histoire...

— Eh bien, parmi ces fleurs, il y avait des bouquets de primevères jaunes et roses et... mais continuez, Arthur. C'est votre histoire...

Le colonel reprit donc la suite de son récit.

— Un matin, Mrs Pritchard sonna violemment, alertant toute la maisonnée qui arriva en courant, croyant qu'elle était au plus mal, pas du tout. Elle était simplement très excitée et désignait du doigt le mur sur lequel se détachait une *primevère bleue* au milieu des autres...

— Oh, c'est terrifiant! susurra Miss Helier en faisant mine de frissonner.

« George et l'infirmière se posèrent la question de savoir si la primevère bleue n'avait pas toujours été là. Mais Mrs Pritchard ne voulut rien entendre. Elle ne l'avait jamais vue avant le matin même, et la nuit précédente avait été celle de la pleine lune. Elle était complètement bouleversée par cette coïncidence.

— Je rencontrai George Pritchard dans la journée, et il me raconta l'affaire, coupa Mrs Bantry. J'allai voir aussitôt sa femme et je m'efforçai de prendre en riant toute l'affaire pour la ramener à de plus justes proportions, mais sans succès. Je m'en retournai assez inquiète pour la pauvre femme et je me souviens de m'être arrêtée pour bavarder avec Jean Instow. Je lui parlai naturellement de ma visite à Mrs Pritchard. Jean est une fille très drôle et elle me dit : « Est-elle vraiment si bouleversée que ça ? » Je répliquai que Mary Pritchard était bien capable de mourir de peur... Je n'ai jamais connu quelqu'un d'aussi ridiculement superstitieux.

Je n'ai pas oublié ma stupeur en enten-

dant Jean me répondre d'un ton glacé :
« Ne croyez-vous pas que ce serait ce qu'il
pourrait arriver de mieux ? » Je sursautai
presque et elle sentit qu'elle m'avait choquée par son franc-parler, car elle poursuivit en me jetant un coup d'œil bizarre :
« Vous n'aimez pas m'entendre parler ainsi,
mais c'est la vérité. Quel usage Mrs Pritchard fait-elle de sa vie ? Rien du tout. Et
c'est l'enfer pour George Pritchard de vivre
avec une femme qui a éternellement peur
de l'existence. Sa disparition serait ce qu'il
pourrait lui arriver de mieux ». Je lui répliquai : « George a toujours été merveilleu-
sement bon pour elle. » « Oui, il mérite bien
une récompense, le pauvre cher, reprit-elle.
Il est très bien, George. C'est ce que pensait
aussi la précédente infirmière, celle qui était
si jolie. Comment s'appelait-elle ? Carstairs ?
D'ailleurs, toute la querelle entre Mrs Pritchard et elle est venue de là. »

Je n'aimais pas entendre Jean faire cette
allusion, bien qu'on se *soit évidemment demandé si...*

Mrs Bantry hésita à poursuivre.

— C'est toujours ainsi, ma chère, remarqua alors Miss Marple avec un grand calme.
Est-ce que Miss Instow est jolie fille ? Je
suppose qu'elle joue au golf ?

— Oui. Elle est très sportive et excellente joueuse. Très jolie aussi. Une peau fraîche. De très beaux yeux bleus, graves. Nous avions toujours pensé d'ailleurs que si les circonstances avaient été différentes... George Pritchard et elle auraient été parfaits l'un pour l'autre.

— Et ils étaient amis? demanda Miss Marple.

— Oh! oui! Grands amis.

— Dolly, ma chère, me laisserez-vous continuer? questionna le colonel d'un ton malheureux.

— Arthur est impatient de retrouver ses fantômes, dit Mrs Bantry résignée.

— Je tiens ce qui suit de George lui-même, enchaîna le colonel. Il ne fit aucun doute que Mrs Pritchard attendit avec un trac fou la fin du mois. Elle avait marqué sur son calendrier le jour de la pleine lune, et cette nuit-là, elle eut tour à tour l'infirmière et George auprès d'elle et elle leur fit examiner la tapisserie avec soin. Ils ne virent que des roses trémières roses ou rouges. Et lorsque George quitta sa chambre, elle ferma la porte à clef.

— Et le matin, il y avait une grosse rose trémière bleue, s'écria Miss Helier d'une voix toute joyeuse.

— Exactement. Ou presque. On voyait au-dessus de sa tête une rose trémière bleue.

George en resta pantois, mais il se refusa à prendre la chose au sérieux et il prétendit que toute l'histoire n'était qu'une farce sans vouloir tenir compte de la porte fermée à clef et du fait que sa femme avait découvert ce changement avant même que quiconque — y compris l'infirmière —. ne soit entré.

Ce phénomène inexplicable avait certes déconcerté George et le rendit plus intransigeant que d'ordinaire devant les caprices de Mary : sa femme voulait quitter la maison, il refusa. Pour la première fois de sa vie, il était tenté de croire au surnaturel, mais il ne voulait pas l'admettre. Il abondait en général, dans le sens de sa femme mais cette fois-là ne céda pas. Mary n'allait pas se rendre ridicule, dit-il. Toute cette histoire n'était qu'une stupidité.

Et un mois passa. Mrs Pritchard éleva moins de protestations et récrimina moins qu'on ne s'y serait attendu. Je pense qu'elle était superstitieuse au point de croire qu'elle ne pouvait pas échapper à son destin. Elle répétait sans cesse : la primevère bleue, avertissement ; la rose trémière bleue : danger ; le géranium bleu : *mort*. Et elle voulut être couchée de manière à voir le bouquet de géranium rose pâle qui se trouvait près de son lit.

Toute cette histoire avait éprouvé les nerfs de tout le monde, y compris ceux de l'infirmière qui alla trouver George deux jours avant la pleine lune pour le prier d'emmener Mrs Pritchard. Mon ami se mit en colère.

— Alors même que toutes les fleurs de ce sacré mur seraient changées en diables bleus, ceux-ci ne tueraient personne! cria-t-il.

— Certainement que si. L'émotion a déjà tué plus d'un individu.

— C'est stupide!

« George a toujours eu une sale tête de cochon difficile à manier. Je crois qu'il était convaincu en secret que sa femme était l'auteur de ces modifications répondant à quelque plan morbide et hystérique. »

Et enfin, la nuit fatidique arriva. Mrs Pritchard ferma sa porte comme d'habitude. Elle était très calme, l'esprit simplement excité par la curiosité en quelque sorte. L'infirmière était au contraire inquiète de son état et voulut lui faire une piqûre stimulante, une injection de strychnine, mais elle refusa. Dans un certain sens, je crois qu'elle s'amusait vraiment. George en eut d'ailleurs le sentiment.

— Je pense que c'est très possible, remarqua Mrs Bantry. Une espèce de charme a plané sur toute cette affaire.

Le lendemain matin, il n'y eut pas de violent coup de sonnette. D'habitude, Mrs Pritchard se réveillait vers les huit heures. Ne l'entendant pas bouger, l'infirmière alla frapper à sa porte à huit heures et demie. N'obtenant pas de réponse, elle courut chercher George et insista pour que la serrure soit forcée. Ce qui fut fait.

Un regard suffit à Miss Copling pour juger de l'état de la silhouette immobile allongée sur le lit et elle envoya George téléphoner au médecin. Mais il était trop tard : il y avait au moins huit heures que Mrs Pritchard était morte. Son flacon de sels avait roulé sur le drap à côté de sa main et *sur le mur à côté d'elle, l'un des géraniums rose pâle avait tourné au bleu foncé.*

— Horrible, murmura Miss Helier en frissonnant.

Sir Henry fronça les sourcils.

— Rien d'autre ?

Le colonel Bantry secoua la tête, mais Mrs Bantry dit vivement :

— Le gaz.

— Quel gaz ? demanda sir Henry.

— Lorsque le docteur arriva, il y avait une légère odeur de gaz dans la chambre et il découvrit que le robinet du gaz était mal fermé dans la cheminée, mais si peu que ça ne comptait pas.

— Mr Pritchard et l'infirmière n'avaient-ils rien senti en entrant dans la chambre ?

— L'infirmière oui, mais pas George. Il avait éprouvé un malaise, mais il l'avait mis sur le compte de l'émotion, ce qui était probable. De toute façon, il ne pouvait être question d'un empoisonnement par le gaz, l'odeur étant à peine perceptible.

— Et c'est la fin de l'histoire ?

— Pas exactement. On commença à bavarder. Les domestiques avaient entendu si souvent Mrs Pritchard accuser son mari de la détester et lui crier qu'il se réjouirait de sa mort. Elles le répétèrent ; elles dirent aussi que Mrs Pritchard avait crié un jour, peu avant de mourir, alors que son mari refusait à nouveau de quitter la maison : « Très bien, j'espère que lorsque je serai morte tout le monde comprendra que vous m'avez tuée ». Et, la malchance s'en mêlant, on avait vu mon ami la veille du décès répandre du désherbant dans les allées du jardin. L'une des jeunes servantes qui l'avait regardé faire, avait remarqué qu'il avait monté ensuite un verre de lait chaud à sa femme.

Les commérages allèrent bon train. Le certificat du médecin, je n'en connais pas exactement les termes, devait porter l'une de ces vagues formules médicales qui ne signifient pas grand chose : choc, syncope, embolie. Bref, il n'y avait pas un mois que la pauvre dame était dans sa tombe qu'une autopsie fut ordonnée et que l'exhumation eut lieu.

— Et je me souviens que le résultat de l'autopsie fut négatif, remarqua sir Henry d'une voix grave. Pour une fois, il y avait eu de la fumée sans feu.

— Toute cette affaire est vraiment mystérieuse, dit Mrs Bantry. Tenez, par exemple, on n'a retrouvé aucune trace de cette Zarida. Personne ne la connaissait à l'adresse où elle était supposée habiter.

— Elle a surgi du brouillard, du brouillard qui est parfois bleu, et elle y est rentrée, appuya le colonel.

— Il y a mieux encore, poursuivit sa femme. La petite Miss Carstairs, qui avait soi-disant recommandé cette coquine, n'avait jamais entendu parler d'elle.

Chacun se regarda, perplexe.

— C'est vraiment une affaire mystérieuse, observa le docteur Lloyd. Il arrive qu'on puisse parfois hasarder des conjectures, ici...

Il hocha la tête.

— Est-ce que Mr Pritchard a épousé Miss Instow? demanda alors Miss Marple de sa voix douce.

— Pourquoi demandez-vous cela ? s'enquit sir Henry.

Miss Marple ouvrit tout grand ses yeux bleus illuminés de bonté.

— Cela me semble très important. Se sont-ils mariés ?

Le colonel Bantry secoua la tête.

— Eh bien, à vrai dire, nous nous y attendions... mais il y a dix-huit mois à présent que Mrs Pritchard est morte et nous avons l'impression qu'ils ne se voient presque plus.

— C'est important, très important, murmura Miss Marmple.

— Vous pensez donc la même chose que moi, s'écria Mrs Bantry. Vous pensez que...

— Dolly, protesta le colonel, ce que vous allez dire est inadmissible. On ne peut accuser personne sans même l'ombre d'une preuve.

— Ne soyez pas si... si timoré en quelque sorte, Arthur ! Les hommes ont toujours peur de trop s'avancer. Nous sommes de toute façon entre nous ici et je peux bien exprimer ma pensée. Je me suis demandé s'il n'était pas possible, simplement *possible*, que Jean Instow se soit déguisée pour rire en diseuse de bonne aventure. Je n'ai pas pensé une seule seconde qu'elle ait voulu faire du mal à la pauvre Mrs Pritchard, mais qu'elle avait peut-être joué cette comédie pour s'amuser et que Mrs Pritchard avait été assez folle pour mourir de peur... Bref, c'est ce que voulait dire Miss Marple, n'est-ce pas?

— Non, ma chère, pas tout à fait. Voyez-vous, si je voulais tuer quelqu'un — ce à quoi je ne pourrais même pas penser pendant une minute parce que ce serait très méchant et que, en outre, je n'aime pas tuer — même pas les guêpes, bien que je sache qu'il faille le faire, et que je suis sûre que le jardinier les supprime aussi humainement que possible. Voyons, qu'est-ce que je disais?

— Si vous vouliez tuer quelqu'un..., souffla sir Henry.

— Ah! oui. Eh bien, si je voulais tuer, je ne me bornerais pas à *effrayer*. Je sais bien qu'on lit tous les jours que des gens meurent de peur, mais il me semble que c'est assez aléatoire et les gens les plus nerveux sont quelquefois beaucoup plus braves qu'on ne l'imagine. Je ferais quelque chose de définitif et j'établirais d'abord un plan mûrement réfléchi.

— Miss Marple, s'écria sir Henry en riant, vous m'effrayez. J'espère que vous ne souhaiterez jamais vous débarrasser de moi. Vos plans seraient trop parfaits.

La vieille demoiselle lui jeta un regard lourd de reproches.

— J'espérais que j'avais bien précisé que je ne voudrais jamais accomplir une action pareille. Non, j'essayais simplement de me mettre à la place de ... euh... d'une certaine personne.

— Vous voulez parler de George Pritchard? demanda le colonel Bantry. Je n'ai jamais cru que George... quoique, souvenez-vous, l'infirmière en était convaincue. Je l'ai revue un mois plus tard à l'époque de l'exhumation. Elle ne savait pas comment cela avait pu se produire — en fait, elle ne voulait rien dire — mais il était visible qu'elle tenait George pour responsable de la mort de sa femme d'une manière ou d'une autre.

— Peut-être ne se trompait-elle pas. Souvenez-vous qu'une infirmière *sait* souvent. Elle ne peut pas parler... elle n'a pas de preuves... mais elle *sait*.

Sir Henry se pencha en avant.

— Continuez, Miss Marple, dit-il d'un ton persuasif. Vous vous perdez dans les nues. Ne voulez-vous pas nous dire...

Miss Marple ouvrit de grands yeux et ses joues rosirent.

— Je vous demande pardon. J'étais en train de penser à notre infirmière visiteuse.

Un problème très délicat.

— Plus difficile que le problème du géranium bleu ?

— Tout dépend en fait des primevères. Mrs Bantry nous a dit qu'il y en avait des jaunes et des roses. Si une primevère rose est devenue bleue, cela s'ajuste parfaitement. Mais s'il s'agit d'une jaune...

— C'était une rose, précisa Mrs Bantry.

Elle regarda fixement Miss Marple et tout le monde en fit autant.

— Alors, tout semble coïncider, dit celle-ci en hochant la tête d'un air de regret. Et la saison des guêpes et tout le reste. Et, naturellement, le gaz.

— Cela vous rappelle, je parie, quelque tragédie villageoise ? dit sir Henry.

— Non, pas une tragédie et rien de criminel dans tous les cas. Je pense surtout aux petits ennuis que nous avons avec l'infirmière visiteuse. Après tout, les infirmières sont des créatures humaines et elles doivent toujours être si strictes dans leur comportement, porter des cols blancs si désagréables, et être à la discrétion des familles... eh bien, peut-on s'étonner que des choses semblables arrivent parfois ?

Une lueur se fit jour dans l'esprit de sir Henry.

— Vous voulez parler de Miss Carstairs ?

— Non, pas de Miss Carstairs, mais de Miss *Copling*. Elle avait déjà été dans cette famille et très attirée par Mr Pritchard qui est un homme très plaisant, d'après ce que vous avez dit. Sans doute s'était-elle imaginé, la pauvre créature... enfin, nous n'avons pas à entrer dans ces détails. Je suppose qu'elle n'était pas au courant au sujet de Miss Instow et ensuite, lorsqu'elle la découvrit, elle s'est retournée contre lui et a essayé de lui faire tout le mal possible. Bien entendu, la lettre l'a trahie, n'est-ce pas ?

— Quelle lettre ?

— Eh bien, voyons. Elle avait écrit à la diseuse de bonne aventure à la demande de Mrs Pritchard, et cette femme se présenta, apparemment en réponse à la lettre. Mais plus tard, on découvrit que cette personne n'avait jamais habité à cette adresse. Cela a tout de suite révélé que Miss Copling était mêlée à cette histoire. Elle était seule à prétendre qu'elle avait écrit... de là à déduire qu'elle était elle-même la diseuse de bonne aventure...

— La lettre était un fait important auquel je ne m'étais pas arrêté, avoua sir Henry.

— C'était un risque à courir que de se déguiser de la sorte, continua Miss Marple.

Mrs Pritchard aurait pu la reconnaître...
bien qu'évidemment, dans ce cas, cette
femme aurait prétendu qu'il s'agissait d'une
plaisanterie.

— Qu'est-ce que vous avez voulu dire,
demanda sir Henry, lorsque vous avez
remarqué que si vous aviez été une certaine
personne, vous ne vous seriez pas fiée à la
peur ?

— Parce que ce n'est pas un moyen
certain. A mon avis, les avertissements et
les fleurs bleues n'ont pas été autre chose
que ce que l'on appelle dans l'armée un
simple camouflage.

— Et quel a été le véritable moyen ?

— Excusez-moi si j'en reviens aux guêpes, mais je me souviens que lorsque j'ai
vu le jardinier mélanger dans une bouteille
du cyanure de potassium et de l'eau, j'ai
pensé aux sels. Donc, si on remplace dans
un flacon de sels la véritable composition
par du cyanure, ma foi... Et la pauvre
dame se servait beaucoup de son flacon.
On l'a retrouvé d'ailleurs près de sa main,
d'après ce que vous avez raconté. L'infirmière a opéré la substitution des flacons
pendant que Mr Pritchard est allé téléphoner
au médecin, puis elle a imperceptiblement
ouvert le gaz pour dissimuler l'odeur
d'amande dans le cas où quelqu'un aurait

éprouvé un malaise, et j'ai entendu dire
que le cyanure ne laisse aucune trace si
l'on attend assez longtemps. Mais je peux
me tromper, et le flacon contenait peut-être
tout autre chose. Cela n'a d'ailleurs pas
beaucoup d'importance, n'est-ce pas?

La vieille demoiselle se tut, un peu hors
d'haleine.

Jane Helier se pencha vers elle et demanda : « Mais le géranium bleu et les autres
fleurs? »

— Les infirmières ont toujours du papier
de tournesol pour... comment dire? pour
vérifier... N'insistons pas. J'ai eu moi-même
l'occasion de donner quelques soins et je
suis au courant (elle rosit) : le bleu devient
rouge sous l'action des acides et le rouge
tourne au bleu sous l'action des alcalis.
Il est très facile d'appliquer une pâte de
de tournesol sur une fleur rouge... près du
lit, naturellement. Et ensuite, lorsque la
pauvre dame utilisait ses sels, les fortes
vapeurs de l'ammoniac faisaient virer au
bleu la fleur traitée. Vraiment très ingénieux. Bien entendu, le géranium n'était
pas bleu lorsqu'ils se sont tous précipités
dans la chambre... et personne n'y a fait
attention sur le moment. Lorsque l'infirmière a changé les flacons, cela a été un
un jeu pour elle d'approcher pendant une

minute les sels d'ammoniac du papier mural.

— C'est exactement comme si vous aviez assisté à la scène, Miss Marple, dit sir Henry.

— Ce qui me tourmente, continua celle-ci, c'est le pauvre Mr Pritchard et cette gentille fille, Miss Instow. Je suppose qu'ils se soupçonnent mutuellement et qu'ils se tiennent sur la réserve... et la vie est si courte!

Elle hocha la tête.

— Vous n'avez pas besoin de vous inquiéter plus longtemps, dit sir Henry. Car il se trouve que j'ai une petite information qui vous fera plaisir. On vient d'arrêter une infirmière accusée d'avoir assassiné un malade âgé, qui lui avait fait un legs, avec du cyanure de potassium substitué à des sels. L'infirmière Copling avait tenté le même subterfuge. Miss Instow et Mr Pritchard n'ont plus à se soupçonner désormais.

— N'est-ce pas merveilleux! s'écria Miss Marple. Je ne veux pas dire le nouveau meurtre, bien sûr. C'est très triste et montre combien il y a de méchanceté dans le monde, et que si une fois vous trébuchez... ce qui me rappelle que je *dois* reprendre avec le docteur Lloyd ma petite conversation au sujet de l'infirmière visiteuse.

FIN

IMPRIMÉ EN FRANCE PAR BRODARD ET TAUPIN
7, bd Romain-Rolland - Montrouge - Usine de La Flèche.
ISBN : 2 - 7024 - 1434 - 6